D1708653

Лучшая современная женская проза

Галина ЩЕРБАКОВА

Яшкины дети

Я положил к твоей постели
Полузавядшие цветы,
И с лепестками улетели
Мои усталые мечты.

И пусть в мечтах о ней читаю,
Что не любим тобой не был,
Зато я лучше понимаю
Твою любовную печаль.

Я нашептал моим левкоям
Об угасающей любви,
И ты к оплаканным покоям
Меня уж больше не зови.

МОСКВА

2008

УДК 82-3
ББК 84(2Рос-Рус)6-4
Щ 61

Оформление *А. Саукова, П. Иващука*

Щербакова Г.
Щ 61   Яшкины дети / Галина Щербакова. — М.: Эксмо,
2008. — 320 с.

ISBN 978-5-699-29363-6

Перед вами — образец современной русской литературы высочайшего уровня, книга-явление, книга-событие, претендующая на то, чтобы стать современной классикой.

Новая книга Галины Щербаковой — это прямой и откровенный диалог с Чеховым. Его она словно призывает в свидетели нашей современности — еще более хаотичной, больной и жестокой, чем во времена классика. Используя названия знаменитых чеховских рассказов, Щербакова каждый из них наполняет новым содержанием и смыслом. Ее «Ванька», «Дама с собачкой», «Душечка», «Смерть чиновника», «Спать хочется» и другие миниатюры — это истории о жизни простых людей, наших потенциальных коллег и соседей, увиденной без иллюзий и прикрас. Все названо своими именами. И нет больше места ни мнимому добру, ни ложному состраданию.

Каждый будет счастлив и несчастен только так, как сможет!

УДК 82-3
ББК 84(2Рос-Рус)6-4

ISBN 978-5-699-29363-6

Эта книга – дань любви всей моей жизни
к Антону Павловичу Чехову

Яшкины дети

Я положил к твоей постели
Полузавядшие цветы,
И с лепестками ... велли
Мои усталые мечты.

И пусть в мечтах я все читаю
Тебе любви моей ...
Зато я ... узнал
Твою любимую печаль.

Я нашептал моим левкоям
Об угасающей любви,
И ты к оплаканным покоям
Меня уж больше не зови.

Мы не живем, но ждем тепла
Для нас любовью принесла
...
Мои холодные уста.

Дался мне этот Яшка! Но... я давно вчитываюсь и всматриваюсь в этого мальца из «Вишневого сада», загубившего старика Фирса. Вот он почти весь, каким представлял его нам Чехов.

А н я. У мамы лакей Яша. Мы привезли его сюда.

В а р я. Видела подлеца.

В а р я. Твоя мать приехала из деревни, со вчерашнего дня стоит в людской, хочет повидаться.

Я ш к а. Бог с ней совсем!

Д у н я ш а. ...Если вы, Яша, обманете меня, то я не знаю, что будет с моими нервами.

Я ш а (целует ее). Огурчик. Конечно, каждая девушка должна себя помнить, и я больше всего не люблю, ежели девушка дурного поведения... По-моему, так: ежели девушка кого любит, то она, значит, безнравственная.

Я ш а (Фирсу). Надоел ты, дед... (Зевает.) Хоть бы ты скорее подох... Любовь Андреевна! Позвольте обратиться к вам с просьбой... Если опять поедете в Париж, то возьмите меня с собой, сделайте милость. Здесь мне оставаться положительно невозможно... Страна необразованная, народ безнравственный, притом скука, на кухне кормят безобразно. А тут еще Фирс этот ходит, бормочет разные слова...

А н я. Фирса отправили в больницу?

Я ш а. Я утром говорил, отправили, надо думать.

В а р я. Где Яша? Скажите, мать его пришла, хочет проститься с ним.

Я ш а (машет рукой). Выводят только из терпения... Через шесть дней я опять в Париже... Только нас и видели... Вив ля Франс. Здесь не по мне... не могу жить, ничего не поделаешь. Насмотрелся на невежество — будет с меня.

Яшка — лакей. Это самый короткий путь крестьянина в люди. Его лакейство — угодливость, но не исполнительность, преданность, но с душком предательства, форсистость до омерзения.

А теперь взглянем на нашу жзнь. Разве лакейская дорожка — не осталась столь же соблазнительным путем к счастью? Не короче ли оказывается она любых других путей для достижения успеха, власти, богатства? Как вечно живы краеугольные Яшкины свойства: какая-то почти природная ненависть к своей матери и родине, демонстративно-холуйская, своекорыстная преданность барину, и одновременно барская заносчивость перед челядью...

Господи, как же противно! Не в эту ли «тему» чеховские слова о выдавливании из себя по капле раба, ни на йоту не потерявшие пронзительного смысла?

Когда же, придет время — уже не холуи, Яшкины дети, будут делать погоду в нашем доме?

Ванька

Я положил к твоей постели
Полузавядшие цветы,
И с лепестками...
Мои усталые мечты.

Я нашептал моим левкоям
Об угасающей любви,
И ты к оплаканным покоям
Меня уж больше не зови.

«Здравствуй, дед-пердед. Не сдох еще? Попробуй только! Твой обрез у меня, и я сам из него тебя грохну за всех сразу, кого ты, сволочь, извел. А вот меня тебе не достать. Я живу в городе, и живу назло тебе классно. У меня и деньги, и хата с теплым сортиром, и на мне такой кожан, что ты бы удавился, если увидел. Живи и помни, я в любой момент перед тобой вырасту, старый козел, и ты зальешься собственной кровью. А я за ноги оттащу тебя в сортирную яму, чтоб там ты и сгнил. Не место тебе на кладбище, пердед, твое место в говне».

На этом у него кончились мысли, и он тупо смотрел на грязный потолок земляной ямы, где они, мальчишки, живут уже, считай, полгода. Их пустили сюда парни, что рыщут под городом то ли в поисках клада, то ли какой другой у них интерес. Каждый раз перед сном он скукоживался в клубок, как это умела делать их Розка, рыжая такая одноглазая

15

псина. Дед выбил ей глаз, но она пережила беду и научилась сворачиваться не в одно кольцо, а почти в три. Пряча в клубке дырку в голове.

Вот и он, как Розка, слава богу, с глазами, хотя останься он с дедом, что было бы — неизвестно. Угрозы были всякие. И «яйца тебе оторву», и «глаза выколю», и «сук в жопу загоню», и многое всякое. От этого он бежал, потому что многое в жизни, дедом сказанное, уже было сделано.

А письма сочинять научила его мама. Совсем, совсем больная, у нее был рак, она читала ему книжки. И как-то раз про этого Ваньку Жукова, который, наоборот, просил своего деда забрать его домой. Как же он плакал от зависти, что у некоторых детей бывает такое счастье — дедушка Константин Макарыч!

Мама и умерла на этом рассказе. Дочитала до слов: «Пропащая моя жизнь, хуже собаки всякой» — и замолчала. А дед пришел и стал орать: «Все теперь стали больные, до сортира дойти не могут... Вставай, дура, жрать будем». А она ни словечка. Рука белая в книжке, а лицо такое спокойное, спокойное. А Розка вошла и завыла так тоненько, тоненько.

После калечества, полуслепая и полуглухая, она откуда-то заранее, издали чуяла смерть. Она за пять минут подходила к смертной избе и выла тонким голосом. Люди ее боялись, но одновременно и любили за жалобность, которой в душе полным-полно, а выражений ее нету. А вот у собаки есть — вой. Глядя на Розку, люди подпевали собаке.

— Ну, и слава богу, — сказал дед, когда уже пришли похоронные люди, и тут же заорал: — Ей-то, конечно, хорошо, а мне этого ошметка корми. До армии еще пять лет.

И он бы его ударил налыгачом, но соседка, остановив подпевание Розки, перехватила руку.

— Ты уже совсем ку-ку, Кузьмич?

Когда маму похоронили, он взял обрез деда. Тот его не прятал. Взял и ушел куда глаза глядят. Обрез лежал в длинной узкой сумке. Мама держала в ней лук. Он высыпал его на пол, мечтая, как вечером дед, войдя в дом, подскочит на верткой луковице и с разбитой башкой так и останется лежать, как лежала бабушка, когда он ударил ее чайником. Бабушка истекла кровью и умерла, но деду ничего не было ни за бабушку, ни за Розку, ни за подстреленного соседа, который остался хромым на всю жизнь, ни за младенца-сестренку, которую он вынес в сени на мороз, потому что плачем мешала ему спать. Мама была в вечерней смене, вернулась. А девочки уже нет.

Деду все сходило. И он знал, почему. Уже перед смертью мама сказала ему: «Ты не суди деда. Он несчастный. Он смолоду был поставлен на казнь людей. С тем и остался».

И мама рассказала, как в конце войны и после нее через их станцию проходили составы с людьми, сосланными в Сибирь и на Север. Она называла их странным словом «прибалты». Больше он никогда этого слова не слышал.

— Мне было лет пять-шесть, — говорила мама, — мы бегали смотреть на людей за решеткой окон. Дед же гордился работой, считал правильной. «Я бы их всех расстрелял сразу. Чего с врагами народа чикаться?» Он такой от жизни, от дела...

И еще сказала: «Ты с ним осторожней, ему смерть — не смерть. Он знает то, что страшнее ее». Отца дед выгнал из дома, когда тот кинулся в суд за смерть сестренки. Он его, пешего, гнал на лошади, пока отец не рухнул на дороге. Мама сказала: «Ну, и слава Богу. Одним живым на свете больше». Потом стали приходить деньги, и обратный адрес был всегда разный и странный. Например: «Северный полюс, остров № 5». Или: «Москва. Елисеевский гастроном. Отдел печени трески».

Глядя на перевод, дед говорил матери:

— Хочешь, найду выблядка на раз-два? Мне это как два пальца обоссать.

— Не нужен он мне, — кричала мама.

Но он знал, что она врет. Он слышал, как она ночью плачет. Деньги — что деньги? Они не человек. Тем более что дед все равно их забирал до копеечки, и уж тогда после его пьянки в деревне святых надо было выносить.

Он смотрел на мокрый потолок. Над ним уже несколько минут набухала большая серая капля. Он разодрал полиэтиленовый пакет, чтобы успеть накрыть им голову. У него уже давно такая игра с каплями — кто кого. Счет был равный. Человеческий ум не был быстрее водяного.

И снова он думал о письме деду. Как-то мама после рассказа про Ваньку Жукова сказала: «Так вот, сынок, жили дети до революции». — «Как так?» — не понял он. «В людях. В смысле у чужих. И там с ними делали что хотели». — «Как дедушка?» — спросил он. «Ну что ты такое говоришь? Ты же со мной.

У тебя есть школа. Там тебя любят. Не надо Бога гневить. Дедушка пошумит, пошумит и отойдет. Помнишь, он тебе клоуна купил на палочке?»

Он помнил этого клоуна. Когда его дергали внизу за веревочку, у клоуна вываливался язык, такой весь красный и злой, и пучились глаза. Он не знал, что у клоуна была еще одна веревочка, под армячком, ему показали ее старшие ребята в школе. Когда дергали ее, откуда-то снизу выскакивала огромная писька и брызгалась водой. Ребята брызнули ею прямо в глаза и забрали игрушку себе. Какое тогда было противное чувство даже не обиды, не злости, а какое-то невыразимое жжение внутри, будто там, в глубине его, под самыми ребрами, разжегся костер и лижет его, лижет.

Потом он сросся с этим чувством. Бывало, что это длилось днями, и мама спрашивала:

— Не заболел ли ты, сынок? Ты какой-то весь у меня бледный. Ну, иди ко мне, сынка, я тебе лоб пощупаю.

Именно после этих слов все проходило. Получалось, что мама каким-то образом тушила внутренний огонь просто своим беспокойством.

Вот и сейчас его жжет ненаписанное

письмо, над головой, вся набухшая до «вот-вот», висит новая капля, но сказать ему «сынок», «сынка» некому. «Наверно, скоро революция», — думает он. Мама говорила: «Революция, сына, случается от очень плохой жизни. Если нет хлеба, нет крыши, если дети мрут...» Он уже тогда подумал, что в их семье частично есть это все. Со жратвой не очень. Крыша протекает, сестра померла. Сейчас в подземелье было еще хуже.

«Дед-пердед! — мысленно писал он. — Уже пришла революция, а значит, я скоро приеду. И дам тебе сначала по яйцам, потом по глазам, а потом в твое говенное сердце».

Капля упала прямо на лицо. Он, как часто бывает, не уследил ее, заразу. Капля была ловчее. Хотелось плакать, достать обрез и стрелять во все стороны, но он же не дед! Хотя именно его он убьет обязательно за всех про всех. Почему-то ему виделся длинный поезд с людьми за решетками. Дед сидел на вагонной крыше и пил из горла. Веселый такой, молодой...

Ему это не привиделось. У деда была такая фотка, дед хвалился ею и хранил на груди.

От холода в голове путалось и думалось черт-те о чем. Например, о времени. Оно делилось, как его учили, на «до революции» и после, на «до войны» и после нее. Еще оно делилось на времена года. Осенью умерла бабушка, зимой сестра, весной ушел отец, Розку ранили летом. Мать тоже умерла летом, но другим, не Розкиным. Он ушел от деда осенью, сейчас весна и капли стали такими тяжелыми, как пули. Весной у него день рождения.

Дед-пердед! Ты должен знать, когда я родился. Я забыл. Ты мне это скажешь перед тем, как я тебя грохну.

Но пока его самого грохнула сволочь-капля. Набрякла силой и ударила прямо в лоб. Как пуля.

И ему показалось, что он умер.

Дама с собачкой

Я положил к твоей постели
Полузавядшие цветы,
И с лепестками
Мои усталые мечты.

Я нашептал моим левкоям
Об угасающей любви,
И ты к оплаканным покоям
Меня уж больше не зови.

Она проснулась, когда хлопнула дверь. А потом заурчала отъезжающая машина. Ну почему? Почему ей показалось, что в этот раз так не будет? Что они проснутся вместе, и вместе будут пить чай, и она поцелует его на пороге, и перекрестит ему спину, и вернется в квартиру без этого резкого запаха убегающего мужчины. Ведь когда-нибудь кто-то должен был остаться и ждать ее просыпания, но не случалось... Сколько раз она слушает этот стук двери, иногда видит в окно пробег к остановке с одновременным натягиванием пиджака на плечи. Она не шлюха, не давалка безразборная, у нее все по любви, с цветами там, конфетами, с походами в театр и на выставку одежды самураев. И она себе придумала: тот, кто проспит дольше, чем она, останется навсегда. Боже! Как хотелось этого проклятущего *навсегда!*

И она — это уже в традиции — идет к зеркалу и смотрит на всклокоченные волосы, совсем не уродские, совсем, у нее хорошие волосы, и густые, и мягкие, лежат и после сна шапочкой. И глаза у нее карие до черноты, и брови дугой без карандаша — свои. Ну, нос не фонтан — это правда, он самую чуточку длинноват, но не клювом, а с мягкой округлой пипочкой над пышным, можно сказать, сексуальным ртом, мужчины его любят. И дальше все как у людей, ямочка на подбородке, шея длинная, плечи покатые, грудь — вообще загляденье, налитая, округлая, ни грамма обвисания.

Ладно, хватит. Нахвалилась собой. А в душе такая щемота, впору шагнуть из окошка. Ей так хочется постоянно спящего под боком мужчины, что бы там ни говорили подруги о своих мужьях, этих «козлах пердячих»! Козлы-козлы, а как держатся за них. Попробуй только глазом тронуть, так вскинутся, что мало не покажется. Нет, с мужьями подруг у нее никогда ничего не было. У нее были сторонние. То смычка по работе. У них трест агромадный, руководит всей синтетикой края, этакий химхромхрут — так они его называли. Командированных до фига, да и сам коллектив мужским родом не обезличен. Она в нем уже больше пятнадцати лет после окончания института. На ее памяти здесь сыграли двадцать семь свадеб. Надоело ходить. На последнюю так и не пошла, что-то там сбрехала. А своей так и не было. Даже рядом не стояла. Типа было, но расстались — и такого не было. И она с тоской, как вот сейчас после очередного стука двери, вспоминала школьного мальчика, с которым они мечтали пожениться в девятом классе, аж горели оба!

Понятное дело, хотелось секса так, что временами тошнило. Но какое ж тогда было время! В голову не могло прийти, чтоб где-то там, как-то... Целовались, правда, до опупения. А потом он, золотой медалист, уехал в Москву. И все. Как не было. В сущности, он первый хлопнул дверью в ее жизни. Хотя еще предлагал жениться сразу после выпускного. Даже настаивал. «Мне, — говорил, — готовиться к экзаменам не надо, заброшу медаль (он на нее шел с пятого класса), и будем гулять все лето».

— Но мне-то надо поступать, — отвечала она.

— Зачем? Я скоро стану академиком. А ты будешь академическая жена.

Но это было все так не по правилам, что даже в шутку нельзя было сказать родителям и принять всерьез.

Между прочим, мальчик действительно

стал академиком. И жена его не работает. Каждый год приезжают на родину. Пару раз они пересеклись. У нее все внутри сжалось, а он отпрыгнул, пробормотав что-то необязательное типа: «Ну, еще свидимся».

Кто-нибудь видел то место, куда уходит любовь? И, может, это и не место вовсе, может, любовь растворяется на молекулы и атомы в теле, а самая болючая страсть превращается в ороговевший ноготь? А может, все рассыпается в прах, и где те поцелуи, от которых болят губы, и где следы вольных обезумевших рук? Как с белых яблонь дым.

И получается в ее жизни, что каждый случай повторяет предыдущий.

Она ходит по квартире от окна до двери, она ищет ответ. Первый ответ приходит, и он — дурак дураком. Она, мол, больше на порог мужика не пустит, пока не сходят в загс. Где ты найдешь такого, если тебе уже вокруг сорока? Не успеешь оглянуться — и полсотни.

Мятые, вяленые, сырые, копченые мужики хитро прибиваются к ее телу от утомительно однообразного брака, договаривающего в предсонье последние наставления о том, что купить завтра в магазине. Есть другие, любопытные, идущие на зов попить чаю. И они терпеливо его пьют, соря печеньем, а потом идут в туалет и уже на обратном пути в коридоре нетерпеливо хватают за низ живота. А ты, оказывается, этого и ждешь.

Всякие есть. Давно знакомые и только что с трамвайной подножки. Пожилые, уже не очень уверенные в себе и мальчишки-курьеры, горячие и неумелые. Не то чтобы у нее их было несчитово, но раз в месяц, как правило. Она не беременела, потому что у нее была недоразвитая матка. Это было ее везение. Детей она не хотела по простой причине — не видела счастливых матерей. Дети были горе, дети были крест, дети были наказанием женщине, рвущей ради них брюхо.

Одним словом, она не подозревала, что на ее работе все считали: Лина Павловна — баба неплохая, но давалка без ума и понятия, и замуж ей уже не выйти.

Как это бывает в жизни? Она сама думала другое. Она умная и красивая, и специалист будь здоров, и замуж она выйдет в конце концов. Ну, просто еще не шел он ей навстречу. Ей ведь не всякий нужен, но невсяких стало ой как мало! Об этом даже в газетах пишут — ухудшается порода, подгнивает мужской корень.

Вечером пришла соседка, вдова. Что-то в ней всегда раздражало Лину Павловну. Во-первых, вдовство, которое та несла как знамя, с гордо поднятой головой. А ведь вдовая голова должна никнуть, виснуть до косточки, а не торчать подбородком вверх. Во-вторых, какое-то невообразимое восхищение прожитой с мужем жизнью, будто Лина глухая тетеря и не слышала, как звенела у соседей битая посуда, а в ее стену ударялось что-то небьющееся, и Лина Павловна подозревала, что это голова соседки, у них там в этом месте как раз стояла кровать.

Сравнение с соседями рождало в Лине Павловне гордость какого-то особенного качества, ну, типа того, что с глупо растопыренными крыльями — знак качества от государства. Раньше им чванились. Вот и гордость у Лины Павловны была родной сестрой того чванства. А в последнее время вообще наступило полное безобразие. Ко вдовой соседке стал ходить кавалер. И они вместе выгуливали — еще одно раздражение Лины Павловны — собаку-таксу по имени Джемма.

Так вот. Пришла соседка и, сложив руки на груди типа «я умоляю», сказала:

— Лина Павловна! На коленях умоляю! Возьмите на три дня Джемму. Она смирная и умная. Только утром и вечером гулять и дать корм. Никаких проблем. Она вас знает и любит.

Вот если бы соседка на этом остановилась, она получила бы полный и окончательный отказ. Но та еще пуще скрестила руки и сказала самое оглушительное:

— Мы с моим другом Николаем Петровичем должны съездить к его родителям. Нехорошо ведь жениться без родительского благословения.

— Вы выходите замуж? — скрипнула Лина Павловна, нервно соображая, сколько же месяцев прошло со дня смерти первого мужа — шесть или восемь.

— Вы знаете, нас познакомила Джемма. Мы гуляли с ней, а она возьми и увяжись за ним. (О том, что в сумке мужчины была свежая печень, сказано не было.) Так мы познакомились. Замечательный человек. Стоматолог. Он один, и я одна. Нам так хорошо вместе. Игорь, умирая, мне сказал: «Встретишь достойного человека, даже не думай». А я вот думаю. Хочу посмотреть на родителей. Я вас умоляю. Примите Джемму. Дайте ответ сразу, чтобы у меня было время — поискать еще кого... Но лучше вы...

— Я согласна, — ответила Лина Павловна.

Сама удивилась скорости ответа. Но внутри ее происходило что-то странное, произошло как бы перемещение органов: сердце сбежало со своего места и трепыхалось где-то под ложечкой, а мозг осел и стал давить на глаза, выдавливая из них слезы. Одновременно в голове бились, как мушкетеры, две мысли. Одна: вот теперь тебе и осталось выгуливать чужих собак. А другая была особенная, она же — д'Артаньян: если уж за собакой недотепы-вдовицы пошел мужчина навсегда, то она-то с собачкой будет выглядеть совсем иначе. Она будет идти с ней, как лыбедь. Именно лыбедь, сказалось внутри, лебедь — так каждый может подумать.

В общем, договорились.

— Я принесу вам корм, — сказала соседка, — чтоб у вас не было проблем. Завтра вечером мы уезжаем, но мы успеем погулять с собачкой все вместе, чтоб она попривыкла. В субботу вечером мы вернемся уже к ее прогулке. Так что у вас всего четверг-вечер, пятница и суббота-утро. Мы оставим вам телефон — мало ли что? Мы едем в Азов, это близко. Привезем вам рыбки свежайшей и крыжовенное варенье. Там его хорошо варят.

История вдовы так потрясла Лину Павловну, что она как-то забыла, что она не любит ни собак, ни кошек, никакого зверья вообще. Развивалась тема лыбеди, как будет она идти с собачкой по набережной, тонкая такая и звонкая. Почему-то придумалась шляпка на голову, такая миниатюрная с изящной вуалеткой. И обязательно лайковые перчатки. Голой рукой держать поводок как-то не комильфо. Перчатки у нее были, чуть зашитые по шву. Но кто это увидит? А шляпку она купит завтра. Скажет на работе, что у нее дело в филиале, и без проблем.

На ночь она взяла томик Чехова.

Книги у нее от родителей, психованных книголюбов, стоявших во время óно по ночам в очередях на подписку. Она продала всю библиотеку подруге матери, которая превратила свою квартиру в незнамо что. В них же, книгах, пыли!.. Себе она оставила книги для двух полочек над притолокой в комнате. Среди них оказался однотомник Чехова, самого скучного из скучных, по ее мнению, писателя. В памяти только одно, школьное воспоминание — «Пава, изобрази!» — из «Ионыча».

Учительница это очень смешно читала.

Лина Павловна уже потом пользовалась этой фразой при разных нелепых ситуациях и даже слыла из-за нее интеллектуалкой. «Это «Ионыч» Чехова», — говорила она после успеха фразы у народа.

«Даму с собачкой» она не читала никогда. Видела скучный фильм. Опять же запомнилось из него, как мать, от которой бегает муж, заставляет детей учить склонение. Склоняли какое-то нелепое слово типа *рукомойник*.

И еще запомнилось из кино: собака была шпиц. Жаль, что соседская — такса, а не шпиц. Что-то брезжило во всем этом. Рассказ она стала читать на ночь, преодолевая скуку. В конце концов поняла только одно: дама со шпицем тоже ловила мужика на набережной. И тоже на собаку. А на что же еще, если больше не на что? Кошки как-то не подходили. Они вообще только мышеловки, не больше.

Она уже хотела бросить чтение, когда сонным глазом наткнулась на фразу: «...сердце у него сжалось; и он понял ясно, что для него на всем свете теперь нет ближе, дороже и важнее человека; она, затерявшаяся в провинциальной толпе, эта маленькая женщина, ничем не замечательная, с вульгарной лорнеткой в руках, наполняла теперь всю его жизнь, была его горем, радостью, единственным счастьем, какого он теперь желал для себя...»

Как-то сладко, как от любовной ласки, сжалось сердце и, как штамп в паспорте, впечатались в ней слова «маленькая женщина наполняла всю его жизнь». Лорнетка отвалилась сама собой, деталь, мелочь... Главное, она такими словами будет думать. Вот все и случится, когда она выйдет на прогулку с собачкой. Ее старенькая бабушка любила говорить: «Ничего случайного на свете нет. Все — Бог». Джемма не случайность. Джемма — знак.

И Лина Павловна заплакала слезами этого впечатлительного мужчины из рассказа. Он плакал о ней. Она о нем. И сердце делалось мягким и слабым, оно замирало, чтобы всколыхнуться и снова забиться до слез.

...Шляпку она нашла сразу. Просто вышла на нее и поняла: она. Она поправила вуаль, как хотела, категорически отказавшись от совета продавщицы «припустить и собрать». Она не пошла в ней домой, она даже не надела ее вечером, когда совершала общий выход с вдовицей, ее кавалером и Джеммой. Последняя никак на нее не отреагировала, она бежала рядом с хозяйкой, длинная такая, коротконогая, тоже мне Джемма, скорее, Стюра какая-нибудь. А главное, она была не шпиц. И это был большой минус в затее Лины Павловны. Но мосты были сожжены, шляпка куплена, перчатки вынуты из мешка вещевых мелочей. Она попробует и с ними, и без.

На утренний выход она была ни в чем, в затрапезе, как ходит на работу. Утром набережная пуста. Джемма вела себя пристойно, с поводка не рвалась, кучку сделала под кустиком, встряхнулась и уже охотно пошла домой. Слегка повизжала у своей двери, но согласно пошла и в другую. Одним словом, по первому выходу собака оказалась непроблемной.

К вечерней ходке Лина Павловна готовилась, как Наташа Ростова на бал. На ней был бежевый костюм, юбка с разрезом и пиджак с острыми лацканами и крупными пуговицами. Желтая кофточка была в пандан и кучерявилась вокруг шеи. Туфли она надела на венском каблуке (так называли его раньше, а как сейчас, она даже не знает). Они были удобны. Перчатки смотрелись сами по себе, но не смотрелись вместе с потертым поводком. Пришлось их положить в карман, покрасивше выставив наружу. Шляпка же просто пела и играла. Джемма не стоила такой красоты, и Лина Павловна стала думать, не надеть ли ей старую шляпку с полями и муаровой лентой, но не устояла перед красотой новенькой. Так и пошла, старую даже примерять не стала.

Вечер был хорош, река была смирной. Набережная была четверговой по количеству людей, не субботней и не воскресной. Лина Павловна ловила на себе взгляды мужчин и женщин, поверхностные, без значения. «Не сразу, — говорила она себе строго. — Не сразу». Она остановилась почитать афишу. В театре не была уже сто лет. С кем идти? Не с подругами же. Смешно и бездарно. В кино как-то тоже разучилась ходить. Иногда... Очень иногда шла на утренний сеанс на что-нибудь эдакое. Последним просмотром был «Мулен руж». Впечатление было слабое. Ну, ярко, ну, красиво, но чтоб внутри всколыхнулось, как на «Интердевочке», то нет... Нет, и все. У нее хороший телевизор, разорилась на тарелку. Все кино теперь дома.

— Любите цирк? — услышала она голос. Видимо, Джемма слегка перетянула ее к цирковой афише.

Рядом стоял он. Никаких сомнений. Немолодой, высокий, с легкой небритостью, как она любит. А главное, в форме морского капитана. Не нонсенс для Ростова. Какой-никакой, а порт.

— Просто пялюсь, — ответила она. — В цирке сто лет не была, и сказать, что хочу, не могу. Совру. — Как складно небрежно все сказалось. И даже подалась на Джеммин порыв идти дальше. Она была уверена — он пойдет следом. И где-то уже возникал жар, и хотелось расстегнуть красивый жакет, а вместе с ним и кучерявую кофточку.

Она даже представила, как проснется раньше, а он сильной рукой не даст ей встать, и они будут лежать молча, а потом он скажет: «Кажется, мне хочется остаться здесь навсегда». Это ведь почти что стать горем, радостью и единственным счастьем.

Большой, высокий, небритый, он совпадал с мечтой, надеждой.

— У меня тоже была такса, — сказал он. — Умерла от тоски, я ведь подолгу отсутствую.

— Ну, это надо быть большим эгоистом, простите, конечно, заводить собаку, если не живешь дома.

— Вот и не завожу больше, — сказал он печально и перекусил собачью тему.

Шли молча. И она любовалась ими со стороны. Красивая дама с собачкой, красивый капитан, сошедший на берег...

— Всю жизнь живу в Ростове, — сказала она, — но моряков знакомых у меня не было. Я вся такая сухопутная.

— А кто вы по профессии?

На языке сидело и чавкало химфармформхрум, но сказала просто:

— Я химик. — Хотя была простой лаборанткой. Но лаборанты ведь тоже химики, а кто же еще? — Я люблю свою профессию, — сказала она. — Денег она приносит, конечно, чуть, но ведь нельзя же все мерить ими. Правда же? Должен быть интерес, увлечение...

Откуда-то из неведомых эмпиреев возникло чутье, что это плохая тема для разговора. Она нервно стала искать, что бы такое сказать поумнее, но голова ее была наполнена завтрашним утром и его тяжелой рукой у нее на груди.

— А морякам хорошо платят? — как-то небрежно-виновато спросила она.

— Разбежались! Но на курево и портки хватает.

Разговор явно выбивался из образа придуманной сильной руки. Так говорят рабочие на их предприятии. Но она их не любит. И крестьян не любит тоже. Она мыслит себя другой. Выше денег. Хотя понимает, сейчас все ниже их — искусство, литература, семья, любовь... Что там еще есть в этом продаваемо-покупаемом насквозь мире?

На всякий случай она дернула поводок в сторону дома. Джемма повернуть отказывалась. Наверное, действительно рано.

— Сколько лет вашей собачке?

Эта тема была еще хуже, чем предыдущая. Откуда она знает, сколько лет псине? И вообще, какой у собаки век жизни?

— Три года, — сказала она наобум, — или около того. Дело в том, что она досталась мне от соседки, которая умерла в одночасье от инсульта.

Какая же это сволочь — ложь. Стоит сказать одну неправду, за ней тянется другая, потом третья. Для рядового знакомства на улице — пустяк, но ведь она исходит из впечатанных в нее слов самого Чехова. Тут очень все непросто. Деньги и заработки — это кошмар для того, что она намечтала на завтрашний день. А теперь вот возраст собаки! Она ведь в глазах моряка — «дама с собачкой», а сама о собаках ни сном ни духом.

— Она сразу после смерти соседки жила у меня, — придумывает она на ходу, — но сейчас объявилась родственница на квартиру и собаку. У нее проблема с переездом, она то тут, то в Каменске, ну, вот мне в этих случаях достается Джемма. А я и рада. Я человек одинокий. А Джемма меня любит.

Кажется, вырулила на правильную дорогу. Но ошиблась.

— А родственница что — молодая и рьяная до наследства? — спросил капитан.

— В том-то и дело, что нет. Почти девчонка. Все ей покажи, всему научи. Да и какое там наследство, кроме квартиры и собаки?

— Квартира нынче — ценность, — сказал моряк. — Основа основ. Ее можно сдать, можно продать. И в каждой квартире еще что-то стоит... Какой-нибудь буфетик из прежних. А там сберкнижка, вся такая из себя старенькая. Для молодой девушки — самое то...

Лина Павловна стала нервно вспоминать квартиру соседки. Одновременно ей не нравились вопросы, они были сторонние, куда-то не туда, они как-то странно беспокоили.

— Да ничего особенного. Хотя в книжки ее сберегательные я не заглядывала. Это не мое дело, — сказала она резко. — Мое дело — Джемма. — И в этот момент она как-то очень полюбила собаку, как свою, как союзницу против чего-то пугающего.

— Я вас понимаю, — ответил капитан, — делающий добро не считает чужие деньги. Так сказать, это разные овощи.

Овощи тоже были не в пандан. И не то что сомнение, а какая-то бессильная неприязнь взяла и пустила корни. И Лина Павловна слегка дернула поводок в сторону от капитана. Но была не права. Он взял ее под локоток. Он сказал ей, что она лучшая женщина на всем берегу. Он, сказал, чувствует — собачка устала. «Коротконогие устают быстро», — сказал он. И они стали подыматься по высокой улочке к дому, и у Лины Павловны забилось сердце, оно забыло и неприязнь, и страх, оно вернуло ее к тому, что придумалось. Потому что завтра будет уже пятница. И времени оставалось всего ничего. Беспокоило уже другое: собственное вранье. Как она объяснит все потом? Как? А где, спросит он, девчонка, когда увидит соседку с хахалем. Ведь если все пойдет, как написано у Чехова, то встреча их случится непременно. И неотвратимость их любви ударится о неизбежность правды. «У меня еще есть время, — думает она. — Есть! Я соображу!»

За завтрашний день много чего случится. Они позавтракают, и пообедают, и лягут днем отдохнуть. И он ей скажет, что хочет остаться здесь навсегда. А она ему прошепчет: «Ты ведь согласен, что наша встреча стоила того, что я соврала? Какое это имеет значение после всего, что с нами стало?»

И он обнимет ее и скажет: «Брехушка ты моя умная! Все замечательно. Я бы все равно к тебе подошел, даже не будь собаки».

И она его обнимет, и у них случится безумный секс, и собака тут будет ни при чем.

А пока они вошли в дом, потом в квартиру, и капитан повесил фуражку на крюк, а когда подымал руку, Лина Павловна учуяла запах пота. Она знала, что мужчины всегда пахнут не лучшим образом, но этот запах был, как бы это сказать... Некапитанский, что ли? В комнате все рассосалось. Мужчина красиво сидел в кресле, большой и легкий одновременно. Чуть поддернутые брюки демонстрировали вполне приличные носки и туфли. Хотя, если посмотреть сбоку, каблукам полагались бы набойки. Джемма стучала своей плошкой, солнце практически зашло, еще чуть-чуть — и настанет южный темный вечер и все такое прочее.

— Лина Павловна, а вы были замужем? — спросил он открыто, без деликатности. — Я к тому, что у вас дома нет мужских следов. Вы вдова? Разведенная?

Ей никто не задавал таких грубых вопросов. Все ее возлюбленные были или знакомые по техникуму, или по соседству, или по химформфарму. Они знали ее как облупленную, других не было. Как же это она не приготовила ответы на случай встречи с мужчиной, который останется на всю жизнь, а не будет бежать стремглав. И ему захочется спросить про то, что было до него.

— Мой муж утонул на другой день после нашей свадьбы. И не спрашивайте больше. Я про это не люблю говорить...

Почему именно эти слова, эта неказистая жалобная история вышла из нее? Утонул. А этот как раз моряк, не утонет с бухты-барахты.

Он как бы уловил ее не то чтобы смятение, а некую смущенность, и рыцарски кинулся ее спасать.

— Да ради бога, — сказал он. — Я не лезу в чужую жизнь. Не вникаю в нее. Я к тому... Бывает же так, приходишь к даме с собачкой, плененный, так сказать, ее статью, а тут муж из командировки. Хорош будешь...

Неужели он мог так о ней подумать? Сравнить с теми, у кого муж в командировке?

— С вами такое случается часто? — спросила она сипло.

— Да ни разу! Но в вас есть какая-то загадка, а может, не в вас, а в собачке, а может, в солнце, которое лежит сейчас на земле горячим чебуреком и тянет на водочку. У вас, случайно, нету?

У нее случайно было, но имелось в виду, что она сама это предложит, и не просто голую водку, а с бужениной с хреном, с отварными креветками и крошечными помидорчиками черри свежайшего засола.

— Извините, нету. Хотите, я поставлю музыку?

— Не хочу, — резко сказал капитан, подымаясь. — Где у вас туалет?

Вот это сразу «не хочу» и туалет было явно грубым, а он ведь казался с виду таким интеллигентным, пальцы длинные, тонкие, глаза большие, умные и без всякого тайного хамства.

Так все и было, и он понял ее обескураженность, и сказал почти нежно:

— А если чаю, а?

— Тут же! — ответила она весело и помчалась на кухню, и он пошел за ней. К чаю у нее действительно было все. И легкий торт, и двести граммов трюфелей, и миниатюрная бутылочка ликера, застрявшая еще от дня рождения. И чашечки у нее были из Египта, высокенькие такие с квадратными блюдечками.

Почему-то ему была любопытна ее прихожая. Он даже как бы измерил ее шагами. «Махонькая», — сказал он ей.

— Одной-то? — ответила она, выходя из кухни, а сама думала: это он примеряет на себя ее неказистую квартиру, он ведь моряк, дом у него — стоянка.

В прихожей на нее снова пахнуло потом.

Увидев, что люди у дверей, а значит, собираются уходить, Джемма засуетилась и принесла свой поводок. Они стояли втроем в прихожей: Джемма с поводком, моряк, прижавшись спиной к вешалке, и Лина Павловна со странным ощущением беспорядка. И она пнула изо всех сил ни в чем не повинную Джемму. Жалобно заскулив, та спряталась под стол. Гнусь с души почему-то не проходила.

Чай моряк пил быстро.

— Не торопитесь так, — мягко сказала Лина Павловна. — Подержите чай с ликером во рту, он потом долго будет будить воспоминания.

— Оно-то так, — сказал моряк. — Я бы от вас не уходил во-ще. (Фу, какое нехорошее слово, ее всю передернуло, но смысл победил буквы.)

— А кто вас торопит? — спросила она.

— Мне принимать вечернюю вахту, — сказал он. — Теперь ведь все норовят убежать раньше. Нет порядка и на флоте.

— Такое безалаберное время, — пробормотала она в отчаянии.

Он определенно собирался уходить. Ей стало просто плохо за свое ожидание ночи и завтрашнего утра, и всего того, что так намечталось.

— А сколько вы будете еще в городе? — спросила она.

— Ночью снимаемся, — сказал он. — Такая служба. Так у вас хорошо, а надо бечь, в смысле бежать. Зюйд-вест...

Это она не поняла, но поняла другое. Лицо у моряка было странное: его, еще жующего печенье, как бы уже и не существовало.

— Возьмите мой адрес, мало ли?..

— О да! — сказал он, и она побежала в комнату искать, на чем записать.

Горячий чебурек солнца уже скрылся. И комната выглядела какой-то другой, как бы брошенной.

— Я напишу вам на календаре, — сказала она, возвращаясь и открывая сегодняшнее число. — Это чтоб вы не забыли.

Он встал и сделал невероятное — поцеловал листок. «На всю жизнь», — сказал он, кладя его в карман.

Уже сняв фуражку с крючка, на котором она висела, оказывается, поверх ее плаща, моряк обнял Лину Павловну, и она учуяла не пот, а крепкий мужской дух, и ощутила гнев — что не будет утра с моряком, не будет спящего утреннего мужчины.

— Как называется ваш корабль? — печально спросила она.

— Следите за крейсером «Коломбина».

— Странное имя для крейсера.

— Вообще-то он «Колумб». Но, знаете, у кораблей бывают женские характеры. Проводите меня до набережной, я вам расскажу про крейсеры с женскими повадками.

Она обрадовалась, что еще не конец, пнула ногой крутящуюся у ног Джемму, и они пошли бегом вниз к набережной.

— Все предметы в природе или женские, или мужские, — сказал он.

— Я знаю. У всех есть род.

— Нет, не в этом дело. Вот у вас дома кресло мягкое, женское, а в сущности мужское — норовит вытолкнуть. А вот прихожая у вас женская. Так бы в ней и жил.

На набережной он взял ее за плечи, тряхнул, как-то неловко поцеловал в губы и побежал быстро, не оглядываясь.

Она подымалась вверх по улице с трудом, думая об этом нелепом поцелуе — сначала листка календаря, а потом ее, от которого в ней ничегошеньки не вздрогнуло. «Зря извела ликер, — подумала она. — Зря. Теперь явись кто, бежать в магазин надо». Конечно, можно последить за «Коломбиной», крейсером с женским характером. Это каким же? Мысли были какие-то вялые и не стыкующиеся. Странно он прижимался спиной к вешалке. «Так бы тут и жил». Ну и жил бы, черт тебя возьми! Почему так не бывает, как людям хочется? Почему все через середу на пятницу?

Опять всплыли эти слова из «Дамы с собачкой». Вот ведь была везуха бабе. Может, потому, что у нее был шпиц, а не эта коротконогая, низкая, как приступок, такса. Ну, ничего, ничего! Все-таки он ее поцеловал, хотя и очень торопился. И назвал крейсер. Правда, не назвал фамилию. Но она узнает маршруты крейсера, заведет себе шпица и выйдет на причал. И он, большой и красивый, обязательно выйдет к ней на берег, и она прошепчет ему в ухо: «Идемте, у меня есть хорошая беленькая на бруньках».

Она так размечталась, что удивилась лаю за собственной дверью. Это Джемма билась в одиночестве. «Интересно, сколько времени, я что-то потеряла счет». Но часы в кухне встали и нагло показывали вчерашнее время. «Совсем у меня ум за разум зашел. Не завела вовремя. Теперь у часов начнутся «коники». Они будут ходить, как им нравится.

Она пошла к серванту, там в хрустальной пепельнице лежали ее точнейшие золотые часы. Но часов там не было. Она подумала, что кладет их всегда автоматически и могла положить мимо. Но верх серванта был пуст. Не было не только часов, но и крошечной красавицы-ладьи из уральских самоцветов. Первый ее порыв был бежать к «Коломбине», но она уже знала, что ни ее, ни «Колумба» не существует в природе, как уже не существует часов и ладьи.

Она пошла убирать чашки. Ну, конечно, серебряных ложек для особых случаев тоже не было. Уже косолапя и держась за стены, она пошла к вешалке. Под ее плащом вечно висела затрапезная драная куртка, куртка-обманка. В ее кармане Лина Павловна хранила в старой варежке наличность. Варежки не было. Он ведь так прижимался к вешалке, хотел тут жить.

Она сползла по стене и плакала практически в половик, и Джемма брезгливо облизывала ее, бездарная сука, неспособная приме-

тить вора. «Господи, — думала Лина Павловна, — а сегодня еще только четверг. Хорошо,
что у меня на завтра есть запас корма. А для
меня есть рожки... Да ножки», — додумыва-
лась мысль. И куда теперь девать эту чертову
дорогущую по сегодняшним обстоятельствам
шляпу с вуалью?

Нет, все же если в рассказе шпиц, то нужен шпиц. И не воображай, если ведешь ду-
ру-таксу, что это он. И она ревела и ревела,
не слыша, что такса ей тихонько подвывает.

Душечка

Я положил к твоей постели
Полузавядшие цветы,
И с лепестками
Мои усталые мечты.

Я нашептал моим левкоям
Об угасающей любви,
И ты к оплаканным покоям
Меня уж больше не зови.

Есть такое выражение — человек с отрицательным обаянием. Я так это понимаю: прелесть, что за обаяние, а человек — сволочь. Ну, это, конечно, грубо, не так, как на самом деле. На самом деле все тоньше, но одновременно и грубее.

...У нее с детства была такая улыбка, что прохожие останавливались и сами расплывались лицом. Сейчас молодежь рисует смайлики, чтоб сказать: смешно. Вот уголки ее рта всегда были приподняты к двум чудным ямочкам на щеках, а большие синие глаза хлопали ресницами в виде прицепленных к векам смайликов. И всю ее жизнь это не менялось — смайлики, ямочки, зубки и чуть приподнятый носик. Надо ли говорить, что у нее было три мужа, несчитово любовников, что она всегда была при деньгах и достатке? Но я не про деньги и ее очарование. Я про то, что внутри она была совсем другой. Она была профессиональной стукачкой на оплате, и это было делом всей ее жизни.

Один старый мудрый диссидент, когда я рассказала ему про нее, абсолютно не поверил этому.

— Этот тип людей — без лица. Они серые, стертые. Им же нельзя выделяться по определению. А ты говоришь — обаяние. Чепуха.

— Значит, она исключение.

— Я знаю этот мир лучше тебя, поверь, ты ошибаешься. Какое исключение, когда полстраны стучали на другую половину. Скрытно, серо, по-крысиному. Стукачи для неопознанки принимали вид земли или там воды. В этом ведь и была сила «органов», управляющих нами по сю пору. Какие там смайлики? Они же очень серьезные люди, до противности, до отвращения. Улыбающийся человек не мог там быть.

Она была. Эта моя чертова профессия журналиста — вечно рыться носом там, откуда ушли бульдозеры и атомные пушки, а я сижу в яме и ковыряюсь, ковыряюсь до самого говна земли.

Когда немного открыли архивы КГБ, я ухитрилась посмотреть дело моего двоюродного брата-студента, которого замели в пору

Чернобыля. Он как бы что-то там узнал и пошел кричать про систему, страну, партию. Так вот, его кричалки на какой-то пьянке слышала Вера Говорухина, ее докладка была в его деле. Вполне официальная: и что, и где, и когда. С ней я училась.

Брат как-то странно умер — острая пищевая инфекция в изоляторе. А у меня пошла раскручиваться память. Вот мы, школьницы-девятиклассницы (конец семидесятых), пишем письмо на радио и просим исполнить песни «АВВА». На следующий день — письмо еще не успело быть вынутым из ящика — нас вызывает директор и устраивает нам выволочку. Шестидесятилетие Великого Октября, на пороге — коммунизм, встань на цыпочки и увидишь его свет, а вам какая-то «абаба» нужна? В общем, из этой ерунды сделали «персоналку», потому что вместо того, чтобы склонить головы в виноватости, мы взвизгнули и сказали, что музыку можно слушать ту, которая нравится, и в этом нет ничего плохого для сверкающего на горизонте коммунизма.

Уходя от директора, я, остановившись в дверях, спросила:

— А кто это вам сказал?

— Тот, кому не безразлична твоя комсомольская совесть! — прокричала мне в спину директор.

В классе нас окружили, стали сочувствовать. Смайлики Веры Говорухиной были особенно прекрасны. И я возьми и ляпни:

— Перестань улыбаться, если коммунизм еще не построили.

— Вот уж когда посмеемся, — сказал Петька Остров и получил на другой день по истории, которую преподавала директор, не пару, а кол, такой демонстративный, длинный кол, уже не отметка, а приговор.

На выходе из школы я получила неважную характеристику, мама просто обрыдалась, поминая всех посаженных и расстрелянных в семье.

— Куда тебя несет, бестолочь? — кричала она. — Ты завяжешь свой язык узлом или тебе его завяжут там, где умеют?

Потом мы все разъехались, окончили институты. Это было время, когда поступление в вуз еще было делом престижным. Виделись в школе на принятых тогда встречах выпускников в каникулы. Порог коммунизма был уже перейден, и мы, так сказать, все как один пребывали в его светлых апартаментах, независимо от того, где и как жили на самом деле.

Потом с Верой я встретилась, уже попав в Москву, в большую газету. Она была в полном шоколаде, у нее было двое прехорошеньких детей. Она работала в каком-то НИИ. Как сказала, могла бы и не работать, но дома ей скучно. «Нет, нет, не думай, все замечательно, но я люблю коллектив».

— Вот уж что не люблю, — сказала я, — так это коллектив. Особливо столичный. Болтуны и бездельники. Если бы не работа, не командировки — это мое! — я бы сбежала. Знаешь, какие склочники газетчики?

Через какое-то время редактор газеты вызвал меня к себе и сказал, что, если я буду клеветать на коллектив, со мной придется расстаться.

— Что клеветать? — возмутилась я. — Это вы на меня сейчас льете грязь!

— Ладно, ладно, успокойся. Я тебя просто предупреждаю. Всюду уши, и почту носят регулярно.

Я вышла оторопелая. Я сроду ни с кем никаких разговоров не вела. Веду себя тихо, сижу и чиню свой примус.

О разговоре с Верой я забыла напрочь.

Прошло время. Мы вышли из коммунизма в открытые двери жизни. Все перепуталось. Все важное стало неважным, все умное глупым. А потом я подняла дело брата и обнаружила в нем Верины смайлики.

Я тогда сразу размечталась описать внутренний мир стукачки, ею самой рассказанный. И я таки нашла ее. Совсем уже другая квартира, дети взрослые, парень и девушка. Только с нее как с гуся вода. Все такая же очаровашка. Как будто ей не под полтинник, а всего какой-нибудь тридцатник.

— У меня к тебе большой разговор, — сказала я. — Давай сядем так, чтобы нам не мешали.

Готовясь к встрече с ней, я вспомнила школьную историю с письмом на радио. Разговор с редактором о моем как бы длинном языке. Больше у меня не было ничего из недоказуемого, а вот история с братом была задокументирована. Мне хотелось ее исповеди, ее покаяния, истории ее первого шага на этом пути, и шага второго. И кто ее заманил, и кто укоренил. Почему-то я думала, что ей должно стать легче от разговора.

Но она смотрела на меня смайликами, такая вся душечка-очаровашка.

— Ты глупая, Анька, — сказала она мне. — Я это всегда знала, но оказалось, что ты глупая в исключительной степени.

— Дура, одним словом, — подыграла ей я.

— Одним! Если бы одним! Ты стократная

дура. Пришла за моим покаянием? Или за своим — что дура?

— Пусть я дура, пусть. Вот и разъясни мне, как становятся стукачами. Или с этим надо родиться? И какое это чувство — писать на другого? Я через тебя, как бы вегетарианку стукачества (я знаю только про одну смерть от тебя — брата), хочу постичь глубинный смысл телеги-доноса как такового.

— Зануда, — сказала она. — Все стучали. Скажем, за редким, редким исключением. Во-первых, это было поощряемо и почетно. На этом всегда держалась и будет держаться власть. Любая. Других крючков, кроме страха людей, у власти нет. Когда же человек знает о недреманном оке, он забегает впереди греха, чтоб спрятать его за спиной.

— А при чем здесь стукачи?

— Для профилактики. Это укол людям в жопу, чтобы не случилось холеры.

— Но брата моего ты сгубила.

— А! Ты об этом. Слышала бы ты, что он тогда верещал при народе, идиот. И что Ленин говно, не говоря о Сталине. Что нам не простят дети и внуки... Посмотри сейчас. Им до чего-нибудь есть дело? Я твоего брата окорачивала, я ему говорила: замолкни. Но он же был прямой, как перпендикуляр.

Я была обескуражена простотой, с которой она говорила об ужасном. Я тупела в себе самой, как бы не зная, как объяснить разницу между горьким и сладким, между черным и белым. Ну как? Белое — оно, значит, белое, светлое, а черное — значит, несветлое?

Мне неловко было спросить, сколько у нее было профилактических действий, но она сама об этом говорила спокойно и даже с юмором.

— Мой маленький сигнал всегда был против большей беды. Я всегда оставалась патриоткой страны, когда вы все лихо топтали ее ногами. Я не визжала от восторга у Белого дома в девяносто первом, но особо ретивых примечала. Ну и что? Стало вам лучше? Вместо безобидного Брежнева и осторожного Горбачева пришел вахлатый мужик, у которого только на одно хватило ума — подумай об этом — отдать власть тому, кто знает законы профилактики и недреманного ока.

— О боже! — сказала я, поднимаясь. — Больше ни слова. Меня уже с души воротит.

— Дура, — сказала она мне, и смайлик ее стал и выше, и шире.

— Это ты написала редактору, что я клевещу на коллектив?

— Ага! Значит, тебя приструнили. И правильно. Будешь осторожней. Хотя ты безвредная, так, самый дешевый продукт диссидентского пошиба.

И ямочки ее лучились, как в молодости.

— Но доносительство никогда, ни в какой системе координат не было доблестью. Никогда, — отбивалась я.

— Много ты знаешь координат. Это есть везде. И в России всегда было, Третье отделение у царя или там политическое управление у нас. А ты знаешь другой способ держать людей в относительной смирности? Я же говорю — профилактика. Как чистка зубов и мытье рук. Кто-то должен за этим следить.

— И тебе не противно?

— Мне гордо! Я живу не зря, мое недреманное око служит моей родине, не чужой. Не Америке засратой, в рот которой ты определенно смотришь. Смотришь же?

— Я и в английский рот смотрю, и в японский, и в рот индусов. Я так развиваюсь.

— А я развиваюсь, спасая таких, как ты, от больших глупостей. Дам тебе по рукам или губам, если что...

— Ну, вот ты и попалась. Ты же не ко мне придешь и скажешь, что я неправильная дура, ты же напишешь телегу, и кто-то совсем другой будет мне засовывать кляп. А ты, наверное, получишь гонорар.

— А ты не греши... — ответила она и засмеялась, довольная. — Давай лучше выпьем коньячку, у меня есть классный, ереванский.

И мы пьем коньяк и заедаем его полосочками вяленой дыньки. И я думаю, что, когда буду писать о ней, то не назову ее фамилию. Просто не смогу, и все. Это будет эссе об очаровательной душечке, вознице «русской телеги», то бишь подметного письма. И начну я с этой дыньки, которая придает коньяку какой-то дополнительный вкус. Какая прелесть эти восточные изыски, но так почему-то хочется после них воспеть соленый огурец!

Возвращаясь домой, я думаю, почему, собственно, я не хочу и не могу назвать Веру Говорухину Верой Говорухиной и подпортить ей жизнь на склоне ее лет. Сделать ей больно и стыдно. И понимаю с ходу: вот тут собака и порылась — в боли. Стукачи любят чужую боль. Ах, как они ее смакуют, держа в руках кляпы, иголки, наручники и прочий иезуитский инвентарь. Вера и иже с ней вся мелкая сошка удовлетворяются воображением доставляемой боли и мук. Как при этом ведут себя смайлики, я не знаю. Поднимаются ли вверх или свисают уголками вниз?.. Я теперь много думаю о Вере. Но эссе о телеге как русской национальной идее у меня не идет. Вот случился рассказ. Но и в нем я изменила фамилию.

Жизнь прекрасна

Я положил к твоей постели
Полузавядшие цветы,
И с лепестками
Мои усталые мечты.

Я нашептал моим левкоям
Об угасающей любви,
И ты к оплаканным покоям
Меня уж больше не зови.

А то! Она трогает руки, ноги, вертит шеей и встает, переполненная желанием есть эту жизнь с жадностью и со вкусом.

От ее оптимизма меня с души воротит. У меня есть противоположный опыт. Я снимала комнату с барышней, которая с утра выла — кто это придумал вставать рано, как у нее болят суставы, голова и шея, и она тянула такую тоску на раннее вставание, на это чертово женское равноправие, при котором она, тонкая и звонкая, вянет на корню, что становилось тошно.

И я ушла от нее. Сделав ей счастье. На мою койку лег демобилизованный сын хозяйки — пока барышня не найдет квартиру. А они возьми и сладься. Он был вполне ничего, хозяйкин сын.

Ну, да бог с ним, с этим далеким, далеким прошлым. Мужа у меня нет, а вот квартирка есть, угловой такой огрызок, но свой, отдельный. Как же я блаженствовала первое время в одиночестве, не веря этому счастью — закрыть за собой собственную дверь.

И мы с ней, оптимисткой, сошлись на этом счастье владения крышей над головой. Своей, несъемной, законно полученной. Вот тогда я впервые услышала эту ее присказку: «Пока ноги-руки шевелятся, а буркалы смотрят, жаловаться грех. Жизнь прекрасна!» Мне даже это нравилось в ней. «Мне бы так, — думала я, — вечно у меня куча проблем при ходячих ногах». Наш этажный пятачок благодаря ей сиял всегда. Мы, народ с площадки, невольно подтягивались к уровню чистоты ее резинового коврика.

Она одна из первых, взяв огромную клетчатую сумку, поехала в Турцию за тряпками. Мерзла на рынках возле кольцевых станций метро. «Заработаю на машину, буду бомбить на дорогах. Руки-ноги есть». Она до того достала меня наличием рук и ног, что мои собственные стали казаться мне уродливыми никчемными отростками. Получалось, ничего они не умеют. И я мысленно оправдывалась перед ней, живу, мол, на свой счет, не побираюсь. А машина мне на фиг не нужна. Я перед техникой робею, даже садясь в такси. Возвращаясь из поездок, она звонила мне снизу, если не работал лифт, и я помогала та-

щить ей сумки, не представляя, как она сама
с ними справляется.

— Ты слабачка. Нельзя такой быть. Если
руки-ноги есть, то они свое дело сделают.

На площадке она жарко благодарила меня, а потом приносила мне подарок. Мяукаю-
щую чашку там или блузку с прошвами, на-
бор кухонных полотенец. Я вижу, что ей до-
ставляет удовольствие дарить мне, неумехе-
чертежнице, у которой шаром покати ничего
такого нет. Ни в квартире, ни на себе, ни в
холодильнике. Все сокровище — шкаф с книгами.

— Читать будешь в старости, — учит она
меня. — Тут тетки ищут продавщицу на ло-
ток. Они возят — ты торгуешь. Купишь у них
со скидкой себе и пальто, и обувь.

Мне страшно от одной этой мысли, хотя
возможность безработицы в моем тресте тоже маячит не слабо, но я клянусь ей в полном
своем порядке, а она с иронией озирает мои
полупустые стены. В эти минуты я ее ненави-
жу, она это сразу чувствует и уходит, и последний ее взгляд полон самой что ни есть
сердечной жалости.

Но даже не принимая ее жалость (она же,
сволочь, унижает!), я отношусь к ней хоро-

шо. Время разделило меня с моими однокурсницами из строительного, кто-то взлетел в Швецию, кто-то в Германию, кто-то на Рублевку, кто-то резко поменял профессию. Курс оказался успешным. Осталась одна она — своя, через стеночку, без гонора и сочувствующая. Почему мне, похоронившей маму и забытой отцом, казалось, что она сирота? Что нас роднит одиночество крови, только проявления его разные — у меня смирение паче гордости, а у нее, наоборот, гордость паче смирения. Три года жили стенка в стенку, пока что-то стало открываться.

Она позвала меня на годовщину смерти брата. А, так у нее был брат, подумала я, ведь у меня, обойди весь свет, никогошеньки. Папа не в счет. Оказалось, прошло уже пятнадцать лет, как ее брат погиб в Афганистане. «Разорвало в клочья! — сказала она мне. — Где рука, где нога». И я, идиотка, связала его смерть с ее святой верой в силу существования рук и ног. «Пока руки-ноги есть», значит, жизнь прекрасна. Она живет за двоих, думала я, за себя и за того парня, то бишь брата. У нее четыре ноги и четыре руки.

У брата остались сыновья-близнецы, оканчивают школу. Она достала фотографию, и я просто обомлела. Такие хорошенькие, такие неотличимые. Просто пасхальная открытка.

— Им тут по десять лет. А сейчас они еще лучше. Красавцы! Кончают школу. Только бы поступили в институт, только бы! Я армии боюсь, как смерти. Знаешь, что я делаю? Коплю деньги на взятку военкому, вожу ему в Серпухов дорогой коньяк и отдаюсь ему прямо в кабинете. Ему ужас как это нравится. Обещает прикрыть мальчишек. Я ему за это и так, и эдак. Самой мне это на фиг не надо. Я свое оттрахала смолоду. Ну, скажу тебе... Земля подо мной трещала. Потому и замуж не вышла. Одиножды один мне не годился. Так что военком от моих трюков на стенку лезет. Убью гада, если не спасет мальчишек.

Стыдно сказать, но я ей тогда позавидовала. Нет! Не тому, что вы подумали, а смыслу ее жизни — есть для кого и для чего.

У отца от его второй жены был тоже мальчишка. Но нам не дали сродниться. Казалось бы, почему, какой вред мог быть от сестры? Но новая жена сказала, как отрезала: «Она от меня квартиру получила, и мы ничего ей больше не должны. Не надо нам родственников. От них потом не спасешься». Так мне прямо сказал отец. И добавил: «У тебя свои будут. Не буду я поперек нее идти, себе дороже». Я видела брата своего два раза. Случайно. В парке на Первое мая. И однажды в метро.

И я соседке позавидовала: есть ради кого жить. Я как бы нашла источник ее какого-то озорного оптимизма, почти хулиганского.

У нас внизу жила старая учительница. Моя соседка носила ей молоко, хлеб и обязательно чекушку водки. «Это на случай растереться или вовнутрь для настроения». Учительница отпихивалась. Но разве от нее отпихнешься?

Могла бы я так? И я объясняю себя — плохую. Я стеснялась бы этого: стучать в дверь и вручать продукты. Мне казалось, что я как бы унижу учительницу. Я вытравила в себе после смерти мамы эту протянутость руки, хоть берущей, хоть дающей.

Так мы и соседствовали. Я — Маша, она — Маруся. Мне тридцатник. Ей сороковник. Но относительно нее — не точно. Она никогда не отмечала день рождения, а только именины. Но дата всегда менялась в зависимости от обстоятельств, так что я так и не знаю ни дня ее именин, ни дня рождения.

Она первая на площадке поставила металлическую дверь, первая вставила в окна стеклопакеты. Я знала, как завидуют и злятся другие соседи, хотя она ко всем была с открытой душой. Но я уже усвоила из уроков жизни: открытость и щедрость наши люди так же не любят, как замкнутость и скупость. Но второе понимают лучше, как нечто естественное и им понятное. А щедрость — с чего бы? А распахнутая душа — это зачем же? И захлопываются двери, и ядовитое: «Наша-то спекулянтка шубу купила. Тоже мне барыня. На рожу бы свою посмотрела».

Маруся красоткой не была. Но была в ней эта самая чертова изюминка. Не каждому она открывалась, но я всегда ждала ее появления: сверкнет глаз, кончик языка облизнет губы, и откуда-то все — красотка, ни больше ни меньше.

Потом случился у меня с ней плохой разговор прямо на площадке.

Я шла с работы.

— Ты что себе думаешь? — сказала она мне ни с того ни с сего. — Сколько мы с тобой на одной площадке, а я так и не видела у твоей двери мужика. Ты что — совсем? Для чего тебя бог сделал женщиной? Чтоб ты чертила какие-то идиотские чертежи? А грудь у тебя для чего? А то, что между ногами? Ты что, себе враг? Я же не говорю тебе — замуж. Я же говорю тебе — радость. Радость полноценной жизни, радость от удовольствия! Ты же хорошенькая, черт тебя дери!

Я не знаю, как это получилось, первый раз в жизни, между прочим, но я изо всей силы толкнула ее и хотела захлопнуть дверь, но она встала на пороге, и я увидела в ее глазах слезы.

— Господи, прости меня, дуру! Не мое это собачье дело, но ты такая хорошая девка, а пропадаешь ни за грош. Ну, хочешь, я тебя сосватаю?

— Перестань, — сказала я. — Или мы поссоримся.

— Ни за что, — закричала она. — Забудь! Все забудь. Идем со мной! — Она захлопнула мою дверь и почти втащила меня к себе. И уже через минуту разливала по рюмкам коньяк и умоляла:

— Выпьем за нас! Ты такая, я другая. Наверное, это хорошо. Жизнь, она любит всех. Правда ведь? Ну, выпей, дура, за нас двоих, разных, но дружных, правда ведь?

И я выпила. И мы еще сидели, прижавшись друг к другу.

— Ладно тебе, не обижайся. В сущности, мы обе одиночки. Каждая по-своему. Но пока руки-ноги есть, надо радоваться жизни.

— Я радуюсь, — ответила я и как-то неловко ее поцеловала.

Она смотрела мне в спину, пока я поворачивала ключ в дверях. Уже войдя к себе, я поняла этот удивительно пронзительный взгляд, будто она проникла в меня и теперь стоит непосредственно перед моим сердцем, а оно, оказывается, немаленькое, и бьется шумно, но внутри него — ничего, кроме мощных качающих кровь сосудов. Я подумала, что никогда не разглядывала себя изнутри, человеческую машину, в которой где-то — где? где? — живет или не живет, а тоже крутит свои колесики душа.

Вот какую дурь я впустила в себя с этим взглядом своей соседки. А потом я разозлилась, потому что ни у кого нет права лезть другому в душу. Это наша русская манера — сочувствовать, влезая в другого глазами и пальцами. А может, это то самое, что называется дойти до сути? И обнаружить, что суть — просто упругий мешок с кровью, и не более того. И нет в нем ни любви, ни счастья, просто мешок.

С этими дурьими мыслями я и уснула. С ними же и проснулась, и обнаружила разницу между мыслью вечерней и утренней. Утренняя была свежа и нахальна. Она объяснила мне, что негоже мне так уж дружить с мешочницей, что я все-таки девушка с каким-никаким, а образованием, что у меня интересы выше и краше, чем примитивный поиск мужика. И негоже никому лезть в душу в чоботах, я этого больше не позволю.

Но после утра наступает день, и он не сверяется с твоими утренними мыслями. Днем на работу мне позвонила Маруся. Это могло означать прорыв трубы, пожар или взлом моей двери. Других поводов быть не могло. Она что-то кричала в трубку, и я поняла, что квартира моя цела, пожара нет, но я должна непременно вернуться пораньше, если не прямо сейчас.

— Ну, скажи, что-нибудь случилось? Ты можешь сказать?

— Беда! У меня беда. Приезжай!

Меня отпустили с работы, и я помчалась домой. Я ехала и придумывала ее беды. Обокрали. Сломала на лестнице ногу. Обрушился потолок из-за протекших соседей. У нее острый приступ аппендицита, к ней едет «Скорая», а она в панике потеряла ключи от квартиры. Ее изнасиловали в лифте, и она лежит, истекая кровью. Господи, сколько же дури может прийти человеку в голову!

Она ждала меня на пороге, одетая, с чемоданом у ног.

— Эта сволочь меня подвел. Их взяли в армию прямо на улице.

До меня дошло не сразу. Потом сообразила: ее племянников, за которых она готова
была умереть, все-таки загребли.

— Ну, и куда ты мчишься? Ты хочешь по-
бедить военкомат?

— Я не знаю, — кричала она, — может, я
сожгу военкома, может, лягу на рельсы. Но я
должна их спасти.

Конечно, ничего у нее не вышло. Вернулась на себя непохожая, но потом вскоре получила фотографию мальчишек. Уже в форме, бритых. Хорошенькие такие мордахи.
Опять подумалось о пасхальных открытках.

— Скажи, а? Артисты...

У нее появилась новая тема — ненависть
к невестке, дуре толстопятой, у которой не
хватило сил отстоять сыновей. Будь она, Маруся, там, она бы разнесла в клочья военкомат, она бы ворвалась к Путину и крикнула
бы ему в лицо: «Вам что, сволочам, мало ги-
бели отца, вы теперь детей подбираете?»

— Но они же, слава богу, живы, — говорила я.

И тут она мне сказала то, чего я никак не
могла от нее ожидать.

— Надо было бежать. Мне. Мать — рох-
ля. Бежать хоть в Турцию, да даже на Украи-
ну. Там дети служат год и возле дома. Хоть

куда, где нет этой чертовой бессмысленной армии. Я бы их тогда позвала вроде как в гости и оставила любым способом. Где был мой ум? Держалась за эту чертову квартиру. А надо было знать, что мужики здесь слова не держат, никакой совести у страны и не ночевало. Бежать надо было, бежать. А ты чего стоишь? Уезжай, пока руки-ноги сильные.

— Но меня же не возьмут в армию, — глупо ответила я.

— Вся Россия — армия. Армия рабов. Вся под ружьем, вся на плацу... Нет, конечно, не вся. Но ты из всех. У простого человека здесь нет защиты.

— Но мы, слава богу, живы. И ребята тоже.

Не говори, если не знаешь. Я накаркала.

Пока мы разговаривали, их, хорошеньких, насиловал командир. Они бежали, их догнали и пристрелили, как волчат. Потом об этом много писали в газетах. Маруся прочла об этом раньше, чем что-то официально сообщили родным, и просто упала замертво, держа в кулаке оторванный кусок газеты. Это учительница снизу принесла ей ее, зная, что Маруся интересуется темой преступлений в армии. О племянниках она ничего не знала, думала, что у Маруси гражданский интерес.

При ней Маруся упала, и она позвала меня. Я вошла, и тут зазвонил телефон. Пришлось взять трубку. Кричала женщина, и я, еще не зная ничего толком, а видя только лежащую на полу подругу, услышала, что «привезли гробы», и вой, страшный, нечеловеческий вой.

Я положила трубку, потому что бестолковая учительница столбом стояла возле лежащей Маруси, не сообразив вызвать «Скорую». Я вызвала. Мы вдвоем не смогли поднять ее с пола и подложили ей под голову подушку. Она была жива и смотрела на меня из какой-то неведомой мне глубины.

— Успокойся, — говорила я ей. — Ты же сильная. Сама же знаешь. Надо жить... Мы найдем виноватых. Я тебе обещаю. Мы добьемся, чтоб их наказали. Ради этого стоит собраться с силами. Сама же знаешь... Пока руки-ноги есть...

— Жизнь прекрасна, — пробормотала она. — Ты это хотела сказать?

И я кивала ей в ответ, радуясь, что она в разуме, а значит, в порядке.

Меня только поражало ее лицо, которое на глазах становилось другим, строго каменным, с глазами, смотрящими из какого-то невероятного далека. И почему-то у нее резко обозначился нос.

— Жизнь прекрасна, — сказала она четко. — Страна — дерьмо. Надо бежать... — И она замолчала, а я продолжала радоваться ясности ее мысли, а значит, жизни.

В этот момент вошла «Скорая». Им хватило одного взгляда, чтобы понять: им тут делать нечего, а я все сидела и тупо ждала от нее еще каких-то слов. Когда ее уносили, до меня дошло, что, в сущности, она сказала все. Воистину все! Сказала и сбежала. С руками, ногами, со словами, что жизнь прекрасна. У меня в душе будто выключили свет, а сердце будто повисло на жиле и не желало стучать. И только слезы были живые и горячие.

Лошадиная фамилия

Я положил к твоей постели
Полузавядшие цветы,
И с лепестками помертвели
Мои усталые мечты.

Я нашептал моим левкоям
О угасающей любви,
И ты к оплаканным покоям
Меня уж больше не зови.

В сущности, все в жизни начинается из ничего. Конечно, если очень любопытствовать и жаждать дойти до самой сути, то нароешь микроб жизни или там какую занозуклетку. Но наш человек устроен так, что ему это малоинтересно, ему кажется, что он до всего и так все знает, без всяких там «наук и гитик». «А я что вам говорил? Да мне сразу показалось, что начальник наш говно, но вы же распустили перед ним хвост». «А что я вам говорил» — это наш девиз жизни.

История, которая перед вами, тоже родилась из ничего, а выросла в такое, что две свеженькие могилы обрели себе постоянное место прописки, можно сказать, одна за другой.

Хочется начать с правильного слова. Значит, начнем с любви.

Они вместе учились в школе, вместе поступили в вуз и к этому моменту уже были готовы расписаться. Бабушка девушки стегала одеяло, как ее учила ее бабушка, а родители с двух сторон пыжились заработать на машину для молодых. Но не какую-нибудь навороченную иностранку (откуда?), а на недорогую китаянку или там узбечку. А то и с рук, поношенную. То есть мы будем иметь дело с низом «среднего класса». Это для понимания мысли.

Ее звали Леной Синицыной, его Колей Коневым. Пять лет любви, и уже вполне конкретной, это вам не хухры-мухры. Самое время стегать одеяло. Хотя с одеялом тоже был характерный эпизод.

Лена придержала маму в ванной и спросила шипяще так, по-змеиному, как она умела в гневе:

— Бабка что, на самом деле думает, что мы этим будем укрываться?

— Деточка, так бабушка же мастерица. Одеяло будет полупуховое. Легкое и теплое. Все женщины в их роду этим лет двести жили. И сносу — никакого.

— Не вздумайте, — прошипела Лена, — я его сразу выкину.

И всю дорогу в институт была злая, как сатана. Расстроилась. В туалете, поправляя обветренный макияж, она услышала разговор. (Помните? Она была вся на нерве.)

— А Элька меняет фамилию отца на фамилию отчима. Не хочу, говорит, быть простою крестьянкой, а хочу быть столбовою дворянкой. Теперь она будет не то Швеллер, не то Шпеллер.

— Тумблер, — засмеялся кто-то.

— Элька говорит: не буду же я простой, как три рубля, Семеновой, это дешево и не звучит. Ивановы, Петровы, Семеновы — это, девочки, плебейство.

— Лучше быть самой собой Ивановой, чем чужой Розенбаум, — сказала их отличница и по уму, и по знаниям. Такая самородная девка. Всегда со своим особым мнением. Даже вопреки профессору или там ветерану труда. — Не фамилия несет человека, а человек фамилию.

— А если фамилия неприличная?

— Есть исключения, не спорю. Но среди нас, кажется, Пердюковых нет?

— Ты не понимаешь! — кричали девчонки. — Фамилия должна украшать человека. Ты Лебедева — тебе повезло, а я, к примеру, Козлова. Конечно, я буду искать себе что-то получше. А лучше иностранное. Оно звонче.

Такое началось! Втянули и злую, как черт, Ленку. Она все еще мыслила от одеяла.

— Ты будешь менять фамилию? Ты раньше всех выходишь замуж.

— Буду!

— Ну и дура. Так ты Синицына, что-то птичье, певичье, высокое. А станешь Коневой, в смысле Лошадёвой, Жеребцовой.

Они так разгорелись, что в туалет заглянула вахтерша и спросила:

— Вас тут грабят или уже поубивали?

— Мы замуж выходим! — закричали девчонки. — За красивую фамилию!

— Дуры, — сказала вахтерша и ушла, но в голове уже несла мысль. Была она в девичестве Крюкова, а вышла за Загребельного. Загребельного загребли за ворованный шифер. Каково? И она нашла себе другого — Владимира Ильича Курицу. Так и живет с Курицей уже считай тридцать лет. Фамилия оказалась точной. Владимиром Ильичом и не пахло, все было курячим — и достаток, и здоровье, и сын-алкоголик, Сергей Владимирович Курица. И дети у того были — ну, чистые куры. И вахтерша расстроилась на всю оставшуюся ей жизнь.

Сидя на первой паре, Лена забыла о фамилии, она продолжала думать о стеганом бабушкином одеяле, под которым она будет лежать. И вот тут-то выпрыгнуло! Лежать с лошадиной фамилией!

Стоит подумать о какой-то ерунде, как выясняется, что полмира только про это и думают. Была у нее еще садиковская подружка Лизка, девчонка красивая и неглупая. Так вот, она тоже решила взять фамилию мужа матери, с которым та спрыгнула в Израиль, оставив Лизку в совершенно неаристократичной русской среде совковых интеллигентов. «Буду, — сказала всем, — Лиз Фридман».

— А не стыдно перед отцом? — спросила будущую Лиз Лариса Полянская, тоже из их садика.

— Тебе хорошо! — затараторила. — Ты Полянская. Это ж красиво. А я Шумакова. Не фамилия, а смех.

— А ты такая и есть. Шуму от тебя много, а дела чуть. Ты — суть своей фамилии.

Едва не подрались.

Все это вертелось в голове у Ленки, и она в этот же день позвонила Лизке: «Как там у тебя с фамилией?»

— Понимаешь, ко мне в Интернете приклеился парень с любопытной фамилией Богачев. Хороший парень, на меня глаз положил, а главное, он богатый Богачев, понимаешь? Фамилии — это не просто буквы и звуки, они определяют жизнь. Если с ним что завяжется, отложим пока Фридмана. Хотя с ним заграница ближе. Но Богачевы и здесь при газовой трубе. Им хорошо.

— А тебе плохо?

— Ну, как сказать? Не голодаю. Одеваюсь более-менее. Но я многого хочу, очень многого. Но не хочу и не буду разбиваться ради этого в лепешку. У меня все родственники сгорбленные от борьбы за выживание. Моей бабке семьдесят, она до сих пор работает, а ни одного брюлика не поимела, понимаешь? Предлагает мне свои клипсы, можно сказать, из подметки сделанные, а она ими всю жизнь гордилась. Мне ее жалко, но больше противно.

Этот разговор взбаламутил Лену. Ей вдруг стало совершенно ясно, что она никогда не будет носить лошадиную фамилию. Это она сегодня же объявит жениху. И объявила. Он так побледнел, Коля Конев, просто смертным цветом. И, не говоря ни слова, ушел.

Тут ведь была другая история. В семье Коли был культ Ивана Степановича Конева, дальнего родственника знаменитого при совке маршала. Когда он умер в 1973 году, Колина мама родила девочку. Как сами понимаете, девочку Ваней не назовешь. Хотя в семье и возникала такая бредовая идея. А почему бы и нет — Ваня, Валя, так схоже, так родственно?.. Но назвали все-таки Валей. Коля родился в восемьдесят седьмом. Но в тот проклятый год умер брат отца, спасатель на аварии в Чернобыле. Он был молод, и звали его Николай. Ему дали Героя посмертно, и семья решила, что честнее назвать новорожденного младенца Колей. На этом все и успокоились. Мол, полководец простит.

А взволновались снова уже сейчас, когда Коля решил жениться. Конечно, от него родится мальчик — кто же еще? — и конечно, он будет Иваном. Это и по совести, и по чести. И этой славной мечтой стали жить.

Семья была простая, бесхитростная, чужого не хотели, а своим гордились до потрескивания в животе. «Мы Коневы» произносилось, как «мы Романовы» или там «Путины». (Ах, Боже мой, думали некоторые, почему мы все не Путины?)

Никаких связей с другими Коневыми, если таковые существовали, не было. Наши Коневы были гордые и не навязывались. Была одна реликвия — фотка еще с Гражданской войны. На обороте было накарябано: «Я стою второй слева».

Коневым нашим хватало этого для внутренней связи с прошлым. Благ от второго слева они сроду не имели. И этим даже гордились. Русский человек, если уж он хорош, то, что называется, до святости. Но если он плох (а таких во много раз больше, Господи, прости за грубую правду), тут уж святых надо выносить. Тогда уж русскостью своей Коневы и Ивановы, Богачевы и Курицы размахают так, что не слезами, кровушкой зальешься.

Но сейчас у нас время Путина. Все сидят смирно, стоят по стойке. А в каждом себе что-то копится. Это определенно. Опять же говорящая фамилия у вертикали. Поковыряйся в ней, поковыряйся... В корне такое наверчено, что куда там лошадиным фамилиям. Но выискивается только прекрасное — путь в светлое будущее...

Так вот. Коля ушел от невесты, весь из себя взбледневший. А Ленка гордо закинула головенку и сказала матери, что фамилию свою менять не будет.

— Что за новости? — спросила мать.

— Не хочу носить лошадиную фамилию.

И мне плевать, что был какой-то генерал там или кто еще, это моя жизнь. И я в ней буду ходить, в чем хочу.

Вот чем кончаются неожиданные туалетные разговоры юных существ.

— А Коля не расстраивается? — спросила мать. — Ведь это как-то обидно для него.

— Его дела. Я так сказала, значит, так и будет. — И была в интонации девчонки та замечательная русскость, когда что хочу, то и ворочу, и сам черт мне не брат.

Смех смехом, но Коля перестал после этого звонить и приходить. Как канул. Одна бабушка была не в теме и все метала себе одеяло, все метала.

Ситуация набрякала. Ведь уже были вложены деньги в грядущую свадьбу, и машина подворачивалась по подходящей цене, но главное было в другом: каким-то бешеным темпом росла обида. Причем, заметьте, с обеих сторон.

Ну, с чего обижаться? С какой сырости? Затихните чуток, воткни, бабушка, иголку в подушечку на время, выпейте все валерьянки — глядишь, все и устаканится. Но нет! Возбуждение нарастало, а со стороны девушки даже всех пуще.

— Ишь, какой! Не звонит. Не заходит. А бабуле пятьдесят рублей должен! — Это бубнила мама.

— Ну, был бы маршал отцом родным — это бы само собой. А так я без понятия! И не переживай, — говорил отец дочери. — Какие твои годы? Жаль, конечно, что упускаем машину. — И тут уже он заводился: — Из-за какого-то коняги мотор теряем. Несовременные люди эти Коневы. Это ж и с их стороны потеря.

Запустить русский механизм войны — дело плевое, особенно если дело касается мирян. Чувствуете нестыковку слов? Но так и есть. Та ненависть, что разгорелась между Коневыми и Синицыными, никакому разумному пониманию не подлежала. Скоро Лена получила по почте письмо, отпечатанное на машинке, где было написано: «Синицы имеют неприятный голос, похожий на писк мышей. Они нападают на других птиц и убивают их. Ударами клюва разламывают череп и с жадностью съедают мозги своих жертв. Синица радостно бросается на каждую слабейшую птичку и убивает ее... А конь — животное добра и победы».

Аналогичные письма были посланы всем

Ленкиным сокурсникам. И уже на другой день с Леной едва здоровались, а некоторые демонстративно от нее отпрыгивали. Ишь, синица!

Так накрылась одна свадьба и несколько дружб. Осталось недостеганным одеяло, бабушка умерла, потеряв смысл жизни. Вот и разберись, что от чего.

Но самое страшное — умер отец Конев. На День Советской армии он все пил и пил без передыха за всех Коневых, за умирающий род и бил при этом по спине сына. «Не горбись, дурак! У тебя обязательно будет наследник Иван. Девки в очередь встанут, чтоб родить тебе человека с замечательной лошадиной фамилией». На этом он поперхнулся, сообразив, что сказал не то, и отдал Богу душу.

Но знаменитый полководец был тут ни при чем. Как ни при чем были и кони, и синицы, и козлы, собаки, волки, медведи, и лоси, и прочая живность, давшая русскому человеку фамилию, а Иван-дурак прихватил при этом и шкуру. И клыки, и копыта, и рога, и все, что можно, чтобы при случае использовать, если ума не хватит.

Лизка, ищущая мужа по Интернету, теперь старательно вникает в звучание нерусских фамилий. Мало ли? Оказывается, Вольф — это волк. Стопроцентно русская деваха, она изо всех сил продолжает корчить из себя Лиз Фридман. Господи, спаси нас всех от спятивших русских дур!

Наше нищенство

Я положил к твоей постели
Полузавядшие цветы,
И лепестками . . . .
Мои усталые мечты.

Я нашептал моим левкоям
Об угасающей любви,
И ты к оплаканным покоям
Меня уж больше не зови.

После десятых проводин она проснулась с ощущением... Вернее, не так — проснулась без ощущения правой руки. Рука лежала рядом, как ей полагается, справа, но одновременно ее как бы и не было. Левой рукой она потрогала теплое, неживое тело правой, ощутила ужас и стала нервно теребить застывшие пальцы. «Ну, миленькие, ну, что я без вас. Вы же правые, не левые...» И они шевельнулись, пальцы, как бы с пониманием. Она дергала их, гнула, и они возьми и сожмись в слабый кулачок. Сжались же! Пусть немощно, но все ж... Тогда она стала тереть руку, щипать ее, бить ладонью и ребром. Даже вспотела.

И она сдалась, рука. Стала оживать и даже слегка согнулась в локте. С этим уже можно было вставать, и она встала, благодаря собственные ноги: «Спасибо, миленькие, хоть вы не подвели». Она стояла и трясла рукой, и это было видно в зеркале, перепуганная женщина в ночной сорочке из рябенького ситца с паническими глазами, отворачивающимися от зеркала, хотя одновременно боком они глядели на отражение, не могли не глядеть... А за окном моросило, тук-тук, слабо бились капли, расползаясь по нечистому пыльному стеклу.

«Утро, осень, паралич!» — думала голова, одновременно ища рифму к слову паралич, однако ничего, кроме ВИЧ и Ильич, не рождалось. Но участок мозга, отвечающий за оптимизм, взбодрился, мол, не так все страшно: паралич — не ВИЧ, да и не паралич вовсе, сомлела рука — делов-то... А как тут не сомлеть — десятые проводины. Считай, что у тебя уже среднее образование по этому делу.

Рука пришла в себя, но была слабой и ленивой. Она чуть не уронила чашку, взяла — а силы нет. Но крепкий чай сделал свое дело, поставил сдвинутое лицо на место, и в зеркале уже была не тетка в ситце с обвисшей рукой, а она сама, Вера Скворцова, уже за сорок (но чуть-чуть), интеллигентка с высшим гуманитарным, временно безработная, но не нищая, куда ни попадя не кинется. Да! Без мужа. Но не брошенка, это ее выбор. Как это она сформулировала: скука вдвоем хуже одиночества. Случайный сосед по постели плохо пахнет, даже если вымыт. Да она столько придумала максим для оправдания своей жизни, что их уже впору издавать — в помощь другим ситцевым неудачницам.

Хорошо, что не надо идти на работу. Она последит за рукой, может, даже сходит в поликлинику, благо та во дворе, а участковый врач, было дело, подбивал под нее клинья, отлупа не признал и принимает ее без очереди, а уж домой к ней бежит по первому зову. Она посмотрела расписание, прием у него с трех до шести. Сейчас он на вызовах, но она не будет его вызывать, она потерпит до шести. И сама спустится к концу его работы.

Конечно, тот будет навязываться. Но у нее еще день впереди, сообразит по ходу дела, как себя вести.

Вчера в это время у нее в квартире был Курский вокзал. Чемоданы, баулы, нервные люди. Десятые проводины. Она их специально не считала, просто хорошо помнила. Особенно первые. Дальше было легче, просто арифметика.

Нет, поймите правильно. Не на тот свет проводины, на другой. В смысле — в эмиграцию, долой, долой от нашего нищенства и страха, что будет хуже. Лучше в России не бывает. Не понос, так золотуха, не партия, так КГБ. Со стороны, наверное, весело.

Вчера она просто устала от беготни и шума, уже без затрат души. Хотя между тем и другим с возрастом появляется зависимость. Поколготишься с уборкой или стиркой или поносишь тяжелое — глядишь, и душа вся стала как выжатая тряпочка. Организм, он один, он целый и неделимый, в одном месте скрипнет — в другом отзовется.

На этот раз уезжала одноклассница. Нашла ее по цепочке, попросилась пережить полсуток до самолета.

— Вера! Это Ира...

— Ира?

— Не помнишь, что ли... Куликова.

Господи, помоги! Не помню такую. Ира Куликова? Кто это? Ни один самый заваляшенький мозговой нерв даже не колыхнулся. «Надо попить кавинтона», — подумала она. А в трубке:

— Ой! Прости меня, дуру. Не Куликова. Аверченко. Ира Аверченко.

— Ирка! Боже мой! Конечно, помню. Я твою фамилию по мужу просто не знала. Откуда?

— Вот, вот... Я и говорю, что я дура. Но у меня в Москве никого. Был брат, так он умер. Помнишь Лёньку?

— Конечно, помню.

И хлынуло детское, да таким потоком, что застучало в висках. Ленька был первый парень в их школе. Похож на актера Филатова, весь такой узенький и верткий. Потом это назовут энергетикой, но в восьмидесятых это называлось как-то иначе. Как — не вспомнить! Ирка, сестра его, жила отраженным светом брата. К ней подлизывались, ее заманивали ради Леньки.

— Мне твой телефон дала Рая. Она приезжала на могилу мамы, и я приехала за этим же, попрощаться. Она и дала твой телефон. Позвони, говорит, Вера обрадуется. Ты обрадовалась?

— Конечно, конечно.

Одним словом, навалились. Муж, жена, хамоватый сын-подросток и куча барахла. Целый день толклись. Рейс был вечерний. Улетали в Германию. Там у мужа была кровная родня. Он был то ли на треть, то ли на четверть немец, специалист-химик. Язык знал. Ирка паниковала, но... «Ты же понимаешь, здесь нельзя оставаться... Целыми днями рыскаю, считаю копейки, как накормить, как одеть своего оболтуса. Хорошо, ты без детей, не знаешь, какой это крест. Где-то до пяти-шести это радость. А потом — господи, спаси и помилуй».

Вера это проходила много раз. Зная, что у нее нет детей, ей несли в клюве страшные истории про сыновей и дочерей, этих чудовищ. Она почти привыкла к этому.

— А что ты там будешь делать? — спросила она у Иры. — Ты же кто? Учительница?

— С чего ты взяла? Я гомеопат. У меня есть публикации. А латынь — она и в Африке латынь. Остальное подтяну. Я же зубрила. Ты помнишь?

Нет, этого Вера не помнила. Вспомнилось другое. Как Ира шла к доске и у нее задралась юбка, и все увидели розовые плотные рейтузы, заправленные в чулки-рубчик. Такое было стыдное зрелище. Ведь уже существовали колготки. Рейтузы и чулки с резинками — это стало фэ! А Ирка как ни в чем не бывало рисовала на доске какую-то формулу, учительница подошла и одернула ей юбку. Все хихикали, а Ирка так и не заметила позора. Все забылось, а вот всплыло. И так ярко-розово.

Гомеопат. А она думала, учительница. Может, это связано с той учительницей, что оправила ее вид? Или с тем, что у нее была мать учительница?

— А сын немецкий знает хорошо. Я думаю, проблем не будет, — это Ира рассказывает про себя. — А ты разошлась? Давно?

— Давно, — односложно отвечает Вера. — Уже семь лет как...

Ира смотрит прямо, как бы побуждая к рассказу, но у нее все внутри сжалось в ком, ком превратился в шарик и будто выскользнул из нее. И как не бывало.

— Замуж был так себе. Не стоит разговора. Вы курицу в каком виде любите? Вареную? В духовке? Или чахохбили?

Сошлись на самом простом вареном способе.

— Завтра сделаешь на бульоне супец, — советовала Ира.

А ей это надо — советы? Она что, пальцем сделанная? Она, сидя без работы и проедая материно обручальное кольцо, научилась так ловчить с продуктами, что вкупе с афоризмами можно издавать и рецепты. Ей надо продержаться еще месячишко, а там обещается работа в открывающемся издательстве. Деньги слабые, но есть еще мамина цепочка.

Все темы за обедом были исчерпаны. Муж Иры попросил разрешения прикорнуть, а сын — прогуляться по Москве.

— Какая это Москва? — сказала Ира. — Обычный городской микрорайон, каких тыща в стране.

— Двадцать минут — и в центре, — обиделась Вера.

— Не вздумай, — сказала Ира сыну, — такси может приехать и раньше.

И как в воду глядела: случилось счастье — такси приехало почти на час раньше. Вот тогда она скорее всего и надорвала руку: с таким энтузиазмом носила сумки и свертки с четвертого этажа без лифта. А когда отъехало такси, то пережила — вот идиотка! — просто момент счастья. Ей даже стало неловко. Ира — хорошая женщина, гомеопат, сын, правда, противный, зато муж вполне интеллигентный, куриную ножку держал опрятно и часто вытирал руки, пришлось подложить салфеток.

Рука не ныла, не болела, и в ней нормально протекала по жилам кровь, но было какое-то странное жалкое чувство, и она замотала ее теплым платком, и стала укачивать, как ребенка.

Десятые проводины. Ну и что? В России такое бывает. Случилась революция — побежали. От Ленина. Правда, от Сталина фиг убежишь. За восемьдесят с лишним лет энергии побега накопилось о-го-го сколько. Вот и рванула Русь от себя подальше. В Израиль, в любую Европу. Ходил бы луноход на небеса, уже б захватили и Луну. Но не это, не это сидело в ней и попискивало под ложечкой жалким щенячьим голосом.

Она укачивает здоровую руку. Не пойдет она сегодня к врачу, ни за что. А Ира оказалась гомеопатом. Ну, кто бы мог подумать в тогдашних головах мысль: «Я стану гомеопатом». Ну, врачом, ну, учителем, инженером, конечно, артистом, а если очень зарваться — космонавтом. Чепуха какая лезет в голову. Надо еще выпить чаю.

И она идет в кухню. Включает чайник и видит то, чего у нее никогда в кухне не лежало. На подоконнике, притулившись к горшку со слабенькой, вечно болеющей геранью, стоял конвертик, узенький такой, не стандартно почтовый. Она взяла его в руки и раскрыла. И вот что прочитала:

«Вера! Я пишу это еще дома, а не впопыхах на коленке. Значит, это не рефлексия, а четкий план. Я не знала, как мне отблагодарить тебя за гостеприимство. Наслышана, что эмигранты сделали из твоей квартиры постоялый двор. Поверь, я понимаю, как это может достать. И я придумала, как тебя отблагодарить. Прочти до конца, а потом иди к шкафу...»

Она задрожала от необъяснимого ужаса и, бросив письмо, просто ринулась к шкафу. Открыла, но ничего не увидела. Немного пахло нафталином, видимо, от бывших здесь вещей ее гостей. Странно, что они ездят в нафталиненной одежде. Она провела рукой по верхней полке, но ничего, кроме старых шапок и беретов, там не было, не считая пыли. «Боже, когда я до нее доберусь», — подумала она и вдруг разозлилась на этот свой необъяснимый испуг. А что может быть в шкафу? Бомбы испугалась? Или чего еще? Она совсем идиотка? При этом слове пальцы стали неметь и скручиваться. О господи, спаси!

И она вернулась к письму.

«...Прочти до конца, а потом иди к шкафу. Ты там увидишь коротенькую шубку, она висит у задней стенки. Я дарю ее тебе. Она почти новая, но жмет меня под мышкой. У меня нет дочери, нет сестры. У меня есть ты, которая любезно нас приняла. Видишь, я в этом не сомневалась. Мне она не нужна еще и потому, что мы едем в теплую часть Германии. Я рисовала себе мысленно, какая ты, и обрадовалась, увидев, что она будет тебе в самый раз. Я была уверена, что, дай я тебе ее в руки, упрешься рогами и не примешь ее. Такой я тебя помню по истории с цигейкой. Помнишь, как ты категорически не разрешала своей маме перекупить ее у нас? Вот еще, сказала ты, буду я чужое (в смысле мое) донашивать. Поэтому, пользуясь суетой приезда, я и заныкала свой презент поглубже. Теперь попробуй нас догони! Вера! Она хорошо будет стоить, если ты все такая же гордая и не захочешь ее носить. Денег, как я понимаю, лишних у тебя нет. Спасибо тебе за прием. И не сердись, бога ради. Может, все надо было сделать иначе. Но прости мне мою цигейковую память. Храни тебя Бог, Вера! И еще раз — не сердись, и носи. Это от всего моего сердца.

Ира».

Она помнила, как цигейковую шубу, которую Ирка носила два года, а потом выросла из нее, навязывали ей, мелковатой по сравнению с Иркой. И как она орала на мать, которая так обрадовалась счастливому случаю одеть дочку за небольшие деньги.

Вера медленно шла к шкафу. На этот раз она сразу нащупала мягкий мех и вытащила коротенькое норковое полупальто, пахнущее нафталином. Из рукава торчал в пандан цвету шубы берет из какого-то неведомого материала, толстого, легкого и мягкого.

Она надела шубку. Она была как раз. Она

посадила на голову берет. Даже так нелепо одетый, он смотрелся, придавая ей давно забытый кураж и лихость. Бесчувственной с утра руке было приятно и уютно.

«Ё-моё, — сказала себе Вера, — никому не отдам и никому не продам. Хоть раз в жизни поношу хорошее». Но тут же она себя окоротила, в ней взыграла цигейковая гордость, а одновременно вспомнилось, как вчера, провожая своих гостей, она смотрела на Ирину изящно заломленную шляпу и думала, что русские женщины искони повязаны платками, а надо жить вот так, лихо, набекрень. Не эта ли мысль саднила ее с утра? «Не отдам норку, — сказала она себе. — Подарок есть подарок. Вот возьму и пойду сегодня к доктору и приглашу его на чай. Там у меня кое-что вкусненькое от гостей осталось».

И пальцы ее были не кривыми. И кровь по руке бежала бойко и как бы заносчиво.

— Спасибо, Ирка, — сказала она громко своему отражению в зеркале. — Я еще раздухарюсь — даю слово — и приеду к тебе в твою теплую Германию. Ты же обещала позвонить по приезде.

И еще подумалось: в таком виде ее точно возьмут на работу.

Невидимые миру слезы

Я положил к твоей постели
Полузавядшие цветы,
И с лепестками...
Мои усталые мечты.

И пусть в мечтах я все читаю:
«Ты не любил, тебя не жаль»,
Зато я лучше понимаю
Твою любимую печаль.

Я нашептал моим левкоям
Об угасающей любви,
И ты к оплаканным покоям
Меня уж больше не зови.

Ты не любил, и не искал
Благословенной красоты,
Ты [...]
И не [...]

Я кладу телефонную трубку и тупо смотрю на загадочное недописанное «торб»... Торба, торбаса или что еще я имела в виду? Оказывается, имелся в виду морг. Плохое слово, и я зачеркиваю буквы. Теперь надо вспомнить, что я должна написать. Мне вчера было сказано — чтобы статья была на столе завтра и чтобы была на разрыв аорты. О бюрократии похорон, о равнодушии там, где ему (равнодушию) — самое последнее место. «Завтра» — это уже сегодня, на часах полвторого. Моя рука лежит на телефонной трубке, а ручка скатилась на пол. И эти нелепые «торбаса» в голове. Ну да... Этот звонок в полночь... Я еще подумала: какой дурак звонит в такое время? «Только бы не он!» — взмолилась.

Это был он. Полтора часа ужасающих подробностей сбили меня с толку.

— Ей уже полтинник, а она носит стринги. У нее раздражение, и она мажется вонючей мазью, от которой у меня аллергия.

Я слушаю его слезы и всхлипы. Именно слезы — он хлюпает носом так, что, видимо, уделал свою телефонную трубку — потому как в ней застревает и сипит его выдох.

И так приблизительно раз в неделю, когда «она ушла на массаж», «сидит в ванной» или отмечает сороковины соседкиного мужа. «Ты можешь говорить? — спрашивает он всегда. — Я как раз один».

Завтра я столкнусь с ними обоими в лифте. Спускаясь с двенадцатого, я подхвачу их на седьмом, и мы жарко расцелуемся. «У тебя все в порядке? — это она мне. — Слава Богу. Вот и у нас тоже». И она потрется щекой о его плечо, а он ей скажет: «Рыба моя». И я дам себе слово никогда с ним не вести телефонную «душевку», но потом забуду и снова услышу плачущее: «Ты одна?» Хотя я одна по определению, одна изначально, я, говоря простой речью, старая, засохшая на корню дева. Я не знаю этих тонкостей супружеской жизни типа «я люблю с краю и чтоб лицом в подмышку» или там «я откусываю хлеб, а она кричит, что надо его отщипывать». Господи, зачем это мне?

Я подхожу к ночному окну. Напротив меня дом-собрат. Один в один, заселялись вместе. Я считаю окна, в которых горит свет. В половине. Полдома не спит. Хорошая тема, думаю я: неспящая Пресня. Но был уже фильм «Неспящий в Сиэтле». Милый ребенок отважно кинулся строить счастье неспящих взрослых. В кино это получилось. В жизни вряд ли, точнее не так — ни за что. Я знаю живущих на втором этаже в неспящей квартире дома напротив. Там есть мальчик. Я, рабочая лошадь, редко сижу в нашем общем скверике, но когда бы я там ни была, он находит меня. Он тоже мальчик из Сиэтла и хочет, чтобы я стала его мамой. Он даже познакомил меня с отцом, и тот отпрыгнул, как молодой лось, почуявший опасность. Если у них свет, то не спит отец. У маленьких детей есть дивное свойство засыпать, даже если вся мордаха в слезах.

Неспящий лось. Ему едва за тридцать, а жена его навсегда уехала в «Мерседесе». Дело было вечером, я возвращалась с работы и видела эту дышащую скоростью машину, возле которой стояло нечто короткошеее, короткоеногое и короткорукое сразу. Мать мальчика выпорхнула с маленьким чемоданчиком и полиэтиленовым пакетом. Оно взяло пакет и забросило его в ближайший мусорный контейнер. Потом произошла быстрая потасовка за чемоданчик, но она его отстояла словами «паспорт» и «диплом». Прижимая к груди бесценное, она нырнула в машину, но я успела услышать хриплые слова: «А на черта тебе диплом? Я тебя не на работу беру». Они рванули с места, и больше я их никогда не видела. А мальчик после этого, гуляя с отцом, тормозил возле всех проходящих женщин. Вот даже на меня клюнул. А отец отпрыгнул.

Сейчас у них свет. И я представляю себе плачущего лося и слезы величиной с лампочку-миньон.

Окно наискосок от них прямо передо мной и мне тоже известно. Десять лет жизни окно в окно — это вам не просто так. Там живет пожилая дама, ей где-то под шестьдесят. Она сдает комнату четырем девчонкам-студенткам, а сама спит в кухне. Она мне объяснила, что брать семью боится: это значит, что и кухня будет занята, а девчонкам ходить в нее заказано. У них есть кипятильник для чая, кофе, а больше им на кухне и делать нечего. Хозяйка смотрит за чистотой, сама следит, чтобы простыни девчонки стирали вовремя, разрешает им пользоваться стиральной машиной. «Конечно, шумливо, как ни закрывай дверь. Четыре враз смеха — это, я вам скажу, немало. Но это не сравнить с детским плачем или там сварой мужа и жены». Дама спит на выброшенной кем-то тахте, без спинки и изголовья. Она внесла ее ночью сама, по частям. Сначала ножки и днище, а потом многолетний, выспанный матрац.

— Я боялась, нет ли клопов, — призналась она, когда мы шли из булочной. — Но, слава богу, нет. Она так удобно втиснулась возле батареи. Хорошо, что та греет едва-едва. Я повесила бра, и мне хорошо читается ночью. А под тахтой у меня чемодан с документами и фотографиями. Девочки у меня хорошие, но любопытные, унесла от них от греха подальше. Смотрю фотографии и поплакиваю.

Из своего окна я вижу это бра, а иногда и ее, курящую в форточку. Когда она стоит долго, начинаю за нее волноваться и воображаю, что она там себе думает.

Она думает о том, что единственный ее сын как уехал на Дальний Восток после института, так и не вернулся. Первое время писал, потом все реже, реже, совсем перестал.

Она через милицию узнала его адрес. С ним было все в порядке, и она, гордая, не стала пользоваться адресом, полученным не родственным путем. Без него у нее был инсульт, без него она вышла на пенсию, без него приватизировала квартиру и записала сына наследником.

Вот она стоит у окна и думает, как он приедет получать наследство. Чтобы не приехать за чем-то ценным — такого в природе людей не случается. Они возникают из ничего — наследники советской власти.

Это ее выражение. Я, помню, не поняла сразу этих слов. Но она засмеялась и сказала:

— Неблагодарность и жадность — это уродливые дитяти времени, рожденные социализмом, убеждающим людей, что до самой смерти у него будет свой партминимум или партмаксимум, там тоже была градация. Но сдохнуть тебе власть не даст и клизму бесплатную вставит до самого горла... Ан нет. Кончилось их время, и сказали людям: теперь сам! Ты сам! Вот и стали все сами. Сам сын, сам отец, сама умирающая бабушка. И так далее. Зачем ему мать-старуха? Но если от ее смерти останется хата в Москве... Тут уж другая песня песней. Хата и мать — вещи несовместные. Мать вылетает из головы с первого толчка, а за хату держатся зубами, руками, любым щупом.

Я смотрю на ее окно. Она ведет свой бесконечный спор с сыном. Спор как способ оправдать себя, оправдать его и прийти к простому как мычание выводу: человек у себя один. Голый человек на голой земле. Пошли вы все к черту с вашей религией, с вашим моральным кодексом строителя коммунизма. Она ляжет на спину, поставит коленки как пюпитр. И сквозь текущие неперестающие слезы будет читать Агату Кристи. Господи, как бы она хотела попасть в мир английских преступлений! Какие там все чистые, опрятные и даже совестливые. И она уснет с мокрым лицом, а потом у нее заболят ноги и завалятся набок, и станет жать под ложечкой, но будет уже светлеть, значит, день и она не умерла ночью, и не будет хлопот и страха у ее постоялиц. Ей хочется умереть на улице, чтоб об нее споткнулись и сразу приехало то, что надо. А то девчонки растеряются и начнут визжать и стучать соседям. И ее же, уже несуществующую, помянут недобрым словом.

На верхнем этаже дома в самом крайнем окне живет старик с роскошной библиотекой. Я вхожа в дом и могу брать книги для чтения. Он аккуратно записывает, что дал мне почитать, и в этот момент я ловлю себя на гадких мыслях о нем. Я что, когда-нибудь заныкивала какую-нибудь его книгу, в чем-то подвела его? Ему восемьдесят пять лет, для кого он хранит свое сокровище? Это я без иронии: его книги — это самое слово и есть. Он говорит, что не боится смерти, потому что ее нет. Нематериальная часть человека — мысль, душа вспорхнут, засмеются и уйдут в мир чистый, неклеточный, где нет этого примитивного деления клетки на две, четыре...

— И что будет там? — спросила я.

— Все по степени развития души и мысли. Во Вселенной очень много работы. Земля и люди — такая несовершенная часть всего. Вам нравится человечество?

— Многое нравится. Музыка, книги, живопись.

— Это нам дары Господа на малый срок жизни. Это тщетная попытка увести человека от убийств себе подобных, от ненависти к ближнему, от жадности, от свинства.

— И никого не спас Рафаэль и Шишкин?

— Этого не знает никто. Но подозреваю, что не будь их, мы бы уже кончились как субъект мира.

Я спросила у него, почему он не выключает свет ночью.

— А кто вам дал право смотреть в мое окно?

— Но я же все равно ничего не вижу. Только свет.

— Разве это мало — свет в окне? Может, он и остановит чью-то поднятую руку? Остановит чей-то крик?

— Конечно, нет! — смеюсь я. — Сколько зла падает на землю в сумраке ночи, и даже тысячи фонарей его не остановили.

— Я просто не сплю, — ответил он. — Мне уже это не надо. Мне хватает десяти минут, получаса. Я рад этому. Мне нравится жить...

— Вы только что столько наговорили об этом мире.

— Все так. Я уже все видел, через все прошел, у меня нет иллюзий, но жить мне все еще нравится. Ночью я это особенно чувствую, до слез.

— Вы — до слез?

— Да нет, конечно. Это фигура речи.

...Я уже не усну. Я не напишу статью о морге. Я смотрю на окна. Кто-то смотрит на мое. Неспящие Пресни. Неспящие в Сиэтле. Мы сплетаемся светом наших окон, наших невидимых миру слез. И в этот момент мы лучше, чем днем. Ибо в нас живет только душа и мысль. Во всяком случае, так считает старик. Крайнее окно слева.

Разговор человека с собакой

Я положил к твоей постели
Полузавядшие цветы,
И с лепестками...
Мои усталые мечты.

Я нашептал моим левкоям
Об усаснущей любви,
И ты к оплаканным покоям
Меня уж больше не зови.

— Выведи Капрала, — сказала жена, едва они переступили порог.

Нормальные слова, не правда ли, для старых собачников, вернувшихся из гостей? Но было в них что-то неуловимо раздражающее, игольчато-пупырчатое с оттяжечкой. Он знал оттенки этого голоса всю свою жизнь, и как иногда ему хотелось взять жену за горло и слегка, по-быстрому, им хрустнуть. Ну, это же так — сволочь-мысль, и берется незнамо откуда, и уходит неизвестно куда.

А Капрал уже держал в зубах поводок и тыкался носом в его колени. Он сделал две взаимоисключающие вещи — отнял поводок у собаки, повесил его на крючок и одновременно открыл дверь, мол, выходи, браток, вольно. И они вышли. И мудрый Капрал понял, почему у него забрали поводок: было ветрено и капал отвратительно колючий и холодный дождь. Погода только на пописать собаке, а уж никак не гулять. Капрал быстро сделал свое дело. И не понял хозяина, который пошел и сел на мокрую лавку под детским грибком. В другое время Капралу понравилось бы вырывать из песка им же покусанные мячики или вытащить детские игрушки, за паровозиком вагончик: дети оставляли ему много разностей, и он уважал за это детей. Этих маленьких неуклюжих существ, которые часто не понимали радости Капрала облизать их мокрые закулеманные мордахи и начинали ор, абсолютно не обидный для собаки ор, потому что всегда находилось и существо, визжащее от счастья Капраловых поцелуев. И не было конца его восторгу, когда в благодарность маленькому челдосику он взбивал лапами и хвостом песок и крутился вокруг самого себя как волчок.

В этот вечер садиться под протекающий грибок мог только идиот. Никто не знает словарного запаса обрусевшего эрдельтерьера, поэтому так трудно им с нами. Собаки ведь давно освоили язык и многому могли бы нас научить, если бы мы не были такой заносчивой породой.

Петр Иванович, так звали хозяина Капрала, замерз, когда еще они с женой возвращались домой. Он тогда мечтал влезть в теплую фланель, лечь на диван и положить между ног думочку. У него были мерзлявые яички со всем принадлежащим им хозяйством. В тепле и уюте приходят хорошие мысли. И он бы неспешно продумал все. Как не хотел идти на эту встречу со «старыми друзьями», приехавшими из-за границы. Как он думал о той, которая когда-то одним взглядом сбивала ритм его сердца до такой степени, что он был способен на все. А он ведь человек смирный, «на все» — это для него непосильно. Но когда до колючей боли кричит в тебе «хочу», а ты весь как половая тряпка висячая, это не каждому дается пережить. В народе это называется «спятимши был», «с глузду съехал». Все это с ним было.

И вот это приглашение. И страх до мышечных колик от предстоявшей встречи с той. А вдруг? Полежав в теплоте, он бы спокойно все проанализировал и успокоился.

И вот это «Выведи собаку» его как опалило. И огонь — вот хохма! — пошел по нему из самого холодающего места. И были в этом огне глаза. Большие, светло-карие, в черном ободке. И они по-прежнему имели над ним силу.

...Они ведь как стояли, уходя из гостей? Он возле вешалки в коридоре, уже натянув обувь, жена колошматилась с платком, а далеко в комнате, возле серванта, локтем опершись о его угол, были эти глаза. И так ему стало хорошо и сладко, что впору было снять обувь и идти на эти глаза прямо в треугольник опершейся руки и уже остаться там навсегда. Но жена подтолкнула его, а хозяева торопливо открывали двери: гости явно засиделись, эти уходили первыми, и нечего было застревать в прихожей.

Мокрые поцелуи, то да се, и они уже на улице, и ветер так дунул в лицо, что у него слетел берет, но проворная жена поймала его на лету и сама натянула ему на голову, глупо и бездарно оттопырив уши. И они побежали к трамваю, и, спасибо, тот подождал. Есть такие чуткие трамваи, они жалеют людей. Потом ехали, потом приехали, и рождалась исподволь мысль о теплой фланели, а карий глаз, наоборот, тускнел и исчезал в сырости ночи. А потом этот голос его жизни — «Выведи собаку», и огонь снизу, и тупое движение на детскую лавочку под визг собаки. Она порылась носом в песке, но он был отвратительно мокр. И Капрал захотел домой, в тепло и сухость.

Но заговорил хозяин:

— Слушай, старик. Я тогда, тридцать лет тому, пс пошел за этими глазами. Честно? Испугался. Где я, где она? А она была рядом, через стол, и смотрела. О псина! Как она смотрела! В этом взгляде было так много, что надо было только протянуть руки. Но рядом сидел ее муж, такая сопля, скажу тебе я, что брать его в расчет мог только идиот. Она от него ушла. К другому. Не ко мне. Она из тех, кто два раза не зовет. И я сейчас пошел в эти гости чисто из любопытства, кого же она выбрала в этот раз. Совсем другой мужик, из этих, крепко срубленных. И тут увидел ее взгляд. Понимаешь? Тот же... Зовущий навсегда. А я уже ботинки надел... и вообще... Где я, где она? Тогда она была через стол, а сейчас и через стол, и через комнату, и через коридор. Ты понимаешь, какой я мудак? Или думаешь, я правильный? Два раза в жизни меня звала за собой великая женщина. Это честно — великая. У простых и даже замечательных такого взгляда нет. Когда не надо слов и касаний. А только ток взгляда. У меня могла быть совсем другая жизнь. Совсем! Веришь, собака?

Собаке же было холодно, и она давно тянула его за штанину и уже почти рвала ее по шву, запуская в самое то ледяной воздух. Но он его не чувствовал, ветер не леденил, он видел глаза женщины, облокотившейся о сервант. Эх, рвануть бы, эх, побежать бы! Сердце колотилось и хотело выскочить через горло.

Но тут возникла тень. Накинув на голову брезентовую куртку, за ними пришла жена. Она грубо дернула его за руку, а когда он испуганно поднялся, коротко и деловито дала ему по морде.

— Собаку бы пожалел, дурак.

И они побрели к дому. И он шел, даже не обижаясь на жену за пощечину. Она-то при чем? Она будет сейчас растирать его спиртом, она укутает его во фланель и принесет в постель чашку чая с малиновым вареньем. А потом ляжет рядом и заснет, посапывая, и ему будет уютно и хорошо, их будет сторожить верный Капрал. Разве плохо? Зачем Бога гневить?

Ночью он пошел в кухню попить воды. Капрал встряхнулся и встал рядом.

— Понимаешь, — сказал он собаке, — я не герой. Ради такой женщины надо было бы ого-го что делать. А Катя у меня простая русская женщина. С ней мне спокойно, я на нее не обижаюсь, даже если она там... криком или руками. Это жизнь. Но червяк в душе сидит, сволочь. Почему я тогда не вывел ее из-за стола? Трус я, Капрал? Или кишка тонка? Или красивые бабы не по мне? Черт его знает, что и думать. Только стремно мне, собака. Так стремно, что не сказать. Видел бы ты ее глаза, псина, видел бы... Умереть не встать. И это было сегодня. Просто этим вечером. Ну? Где я? А где она? Стремно, ой как стремно, пес. А выпить у нас не бывает. Не заведено, черт его дери. Ты не поймешь. Собаки — твари непьющие. А то бы мы с тобой держали в тайничке чекушку и пили тайком, запивал бы я те глаза, запивал!

Капрал тявкнул, будто отвечая.

— Я понял тебя, — сказал Петр Иванович. — Такие глаза, хочешь ты сказать, не запьешь. Тридцать лет прошло, а как и не было времени. Как мне теперь быть, собака? Это, я тебе скажу, даже не любовь. Это, псина, тяга... Зов... И скажи после этого, какая мне цена, если я от самого главного бегом уезжаю на трамвае? Три копейки? Две? Господи! Вернуть бы то время. Тридцать лет назад, и она — через стол. Но я, сука, и тогда уехал на трамвае. Ну, зачем их придумали люди, этих красных ночных гусениц? Для меня, что ли, специально? Для труса бессильного?

И Петр Иванович сморкался в отворот пижамы.

Свадьба с генералом

Я положил к твоей постели
Полузавядшие цветы,
И с лепестками ...
Мои усталые мечты.

Я нашептал моим левкоям
Об угасающей любви,
И ты к оплаканным покоям
Меня уж больше не зови.

Выдавать дочку замуж первый раз с большими затратами, когда ей уже за тридцать, — дело, как говорит их соседка, стесняльное. Сама бы вышла себе спокойно, по-тихому, чтоб в глаза не лезло, какая барышня потухшая, и глаз уже не искрит, и губки уголками вниз.

Вот почему у матери мысль как раз другого цвета. Надо от невестиных неискрящих глаз отвлечь внимание на что-то такое, чтобы все как раз заискрило. И про петарды думала, и про духовиков, но тех как облупленных знают из-за похорон. А пупсы на машинах — это уже совсем противно, дети вслед свистят и гикают.

Дочку нужно приподнять и украсить, чтоб все лопнули от зависти и забыли до смерти, сколько ей лет.

Город у них маленький, все друг друга знают, а из знаменитостей — один Герой Со-

ветского Союза, но и он из компании алка-
шей ее брата.

У отца, Ивана Кузьмича, от планов жены
мозги полезли из ушей, и он все крутил головой, загоняя их внутрь. А мать, Ольга Петровна, образованная женщина, учительница
ботаники и зоологии в школе, вся, наоборот,
так себя распалила, что стала похожа на мо-
лодую, когда ей впервые засунул язык в рот
приехавший родственник, и она никак не
могла выдохнуть, а внутри у нее все щекотало.

Куркины никаких сбережений не имели,
концы с концами сводили едва, и им не то
что свадьба на всю ивановскую, чаепитие с
тортом не всегда было под силу.

Иван Кузьмич работал по инвалидности
сторожем автостоянки в их Городской думе,
горсовет по-старому. Он жил и дрожал, чтоб
не повысили пенсионный возраст, ему шестьдесят должно было случиться в этом году.
А тут на тебе — свадьба. Нет, они не какие-
то там родители-сволочи, которым нет дела
до счастья дочери, они любили Люсю и жале-
ли ее за то, что не было у нее судьбы, и ста-
рались, чтобы она выглядела хорошо, а Ольга
Петровна солила денежки, чтоб духи там
французские на день рождения или эти мод-
ные трусики с перепоночкой в заднице.

И непонятно им было лет уже как десять, почему Люсины подружки по два, а то и по три ребенка имеют, ходят такие животастые и гордые, а Люся, вся такая тонкая и с грудью высокой, так никому и не приглянулась. Отец считал, что она много о себе думает, а мать — что дочь скромная, задом не вертела, а держала себя в приличии. Но факт оставался фактом: за всю жизнь у Люси ни одной записочки от парня не было, и на дискотеке, где кого только нет и каких только нет, и всех кружат, и все на танцполе, она лопатками подпирает стену. Ну, конечно, перестала она туда ходить.

— Да я терпеть не могу эти танцы, — сказала матери.

А дома, между прочим, молодецки вертелась братова компания. Но и у них она мимо глаз. Мать думала: ничего страшного, вот пойдет Люся на работу, войдет в коллектив... Дура ума! Пединститут и школа — последние для замужества места. Как чувствовали, говорили ей: иди в строительный. Так она в ответ: «И что ж мне, робу всю жизнь носить? И каску? Хорошего же вы мне желаете».

Институт тоже прошел мимо судьбы. Пришла работать в школу матери историком. И все. С концами. Три мужика в школе —

все женатые. Отправляли летом в дома отдыха, один раз даже в Болгарию. Результатов ноль. Мать фотки рассматривала. Стоит компания. У каждой или почти у каждой девки сбоку мужик. Свой, чужой — неизвестно, но притулился. А их Люсинда всегда одна.

Шелапутный сын женился. Ушел к женщине, копят теперь на машину, значит, меньше пьет. Нормальная современная жизнь. И невестка не из красавиц. Широколицая такая, скулы едва не подпирают брови. С Люсей не сравнить. У Люси лицо узкое, одно плохо — нос длинноват, но он без горба, ровненький такой. Таких лиц много на картинках старых художников. А они-то ведь понимали. Взять ту же жену Пушкина. Конечно, красавица, но если разбираться, лицо у нее тоже узкое, а нос длинноват. Конечно, наряды там и прическа другого замеса. Если Люсю так причесать и на шею кулон повесить... Мать напряглась и купила ей кулон. «Носи, дочь!» Так нет. Дешевку она носить не будет. Но для кого же, как не для них, учителей, и делают эти дешевки? Она зашла в настоящий ювелирный, на первый же ценник глаз бросила и выскочила, как ошпаренная. Сколько ни откладывай — не собрать.

Жених случился из ничего. Померла старушка с их площадки. Дети квартиру покойницы сначала решили задорого сдавать, но не получилось. При всей нехватке жилья каждый хочет иметь что-то поприличней. Вот как у них — трехкомнатная квартира, пусть всего ничего, 37 квадратов, но все комнатки сами по себе, а когда сын съехал, у них даже образовался зал для телевизора, дивана, двух кресел и журнального столика. Очень получилось культурно. Конечно, для большого стола гостей надо все это разрушать, но такого повода не было.

Так вот. Помудохалась бабушкина внучка со сдачей, раскатала губки на десять тысяч в месяц, пришлось собрать губки в гузночку — не было дураков. Какой же дурак в деньгах равняется на Москву? Нашелся врач-ветеринар, разведенный, вот он и купил эту угловую страшненькую однокомнатку. За сколько — тайна, и он молчал, и продавцы тоже.

Ну, приехал, поселился. Как-то позвонил в дверь, спросил, нету ли случайно полдюжины гвоздей с круглой крупной шляпкой, мол, кое-что починить надо. Пока Иван Кузьмич ковырялся в гвоздевом ящике, гостя пригласили в зал и посадили прямо перед телевизором, правда, не включенным. И Люся пошла к гостю для соблюдения приличий. Мужчина был весьма скучного вида. Остановить глаз было не на чем. Ни на внешности, ни на одежде. Но протянутую Люсей руку поцеловал, в смысле приложился. И Люся как-то вся изнутри как бы горячо вспухла и сказала, что восхищена его профессией — лечить животных. Спроси ее, с чего это она так врала, она бы растерялась. Она к животным была равнодушна, как и вся их семья. Ни собак, ни кошек сроду не держали, считали, что от них одна грязь. И сколько себя Люся помнит, никогда детского естественного желания «хочу собачку» у нее не было. А тут на тебе: из нее выскочило восхищение. Вежливый ожидатель гвоздей спросил про ее службу, и она ответила скромно: «Я просто человек. Я учительница». Что-то в лице гостя мелькнуло, откуда было Люсе знать, что бывшая жена его была учительницей и что он себе сказал: если эта сейчас скажет, что преподает литературу, то он встанет и уйдет, на хрена ему эти гвозди.

Бывшая жена заманала его чтением стихов жещин-поэтов и подробностями их личной жизни. «А Рубальская знает японский». «А Ахмадулина через мужа родственница Плисецкой». «А у Риммы Казаковой новый любовник. А знаешь, сколько ей лет?» Он ушел от нее в дождь, ночью, накрывшись

одеялом, а она с балкона щебетала ему какие-то строчки. Вот почему он вздрагивал
при слове «учительница».

— Я историк, — с достоинством ответила
Люся, и гость улыбнулся широко и как бы
облегченно.

А тут вошел отец с тремя разными гвоздями, они на фиг никуда не годились, но гость
кинулся благодарить, а потом выбросил их на
площадке в разбитое окно, из которого свистело неимоверно.

Но пока он еще сидит с гвоздями в кресле, и Ольга Петровна входит так, как она сроду не входила, и спрашивает: «Не хотите ли
чаю?» — «Нет, нет», — вскрикивает гость и
идет к выходу. Наличие гвоздей в руках исключает приложение к ручке молодой хозяйки, а то, что она оказалась не засратой филологиней, а учителем серьезного предмета, заставляет его — сам не ожидал — произнести
невероятные слова: «Но я оставляю за собой
право вернуться к вопросу чая в ближайшие
дни» (сказалась все-таки жизнь рядом с
изящной словесностью). «Приходите завтра
вечером». — «Давайте послезавтра», — отвоевывал он день. «Хорошо. Ждем вечером.
Часов в семь. Без обмана!» — щебечет Ольга

Петровна. Она вдруг почувствовала себя молодой и значительной.

В кухне ей муж скажет:

— Вот так ляпнула сдуру, а он и привяжется ходить чаевничать. А послезавтра как раз по телевизору футбол.

Но отцовское сердце вдруг скумекало ситуацию: а вдруг? И он сказал, что вообще-то этот футбол можно и не смотреть, он заранее может угадать счет.

Люся пошла в свою комнату в некотором смятении. Ей никто никогда не целовал руку, и теперь она ее разглядывала на предмет именно этого предназначения. Конечно, руки чистые, что за вопрос. Но маникюр был старый, хотя его как раз видно не было, он же взял ее за пальцы. Рука ничем не пахла и не могла пахнуть, она не занимается хозяйством и, слава богу, не химик. Она посмотрела на себя в зеркало. Волосы распущены до плеч, так она ходит дома, а в школе у нее пучок, стянутый так, чтоб ни одна волосина не высмыкнулась. Школа — это строгость, не в смысле криков и окриков, а в смысле существования в приличии и достоинстве. Высокое воспитание, одним словом. Дома же можно распустить волосы и расстегнуть верхнюю пуговичку, и икнуть, и высморкаться громко, как хочется.

Предстояло дожить до послезавтра.

Ольга Петровна соображала, что стол, за которым обедали в кухне, надо будет перетащить в зал, выпихнув оттуда кресла и журнальный столик. Хотя была и другая идея. Почти интимная. Зазвать его в кухню как своего, мол, все у нас по-простому, потому как вы нам... Вот тут был напряг: а кто он им? Первое, что взбредало: великое кухонное братство интеллигенции. И она произнесла это вслух, когда в кухню входила Люся. Та услышала и заорала не своим голосом:

— Для кого речь пишешь?

Крик, именно звук, был обидный. За что? Но негоже ссориться с Люсей, от нее многое будет зависеть.

— Не слушай дуру-мать, доча. Я к тому: если мы устроим чаепитие, то где лучше? Со сдвигом мебели или без?

— Чаепитие со сдвигом — это классика, — засмеялась Люся. — Кухонное братство — что-то мышино-тараканье. Вообще, зачем ты это придумала? Я знаю, для меня. Ладно, пусть. Но, скажу прямо, это не мой номер, если я поймала твою мысль.

— А по-моему, он вполне. Высокий, сильный... И не старый еще.

— Ручки целует, — засмеялась дочь.

— Он поцеловал тебе руку? — прикинулась слепой дурой мать. — Да ты что? А я и не заметила. В наше время это штрих высокого...

— Да ладно тебе. Главное, упреди брата, чтобы не заявился.

— Ой! Точно! Это я обязательно сделаю. Он же без бутылки не приходит... Начнет тут... Кстати. Как ты считаешь? К чаю можно приложить ликерчик там или наливочку?..

Так неуверенно и без особых надежд начинавшееся мероприятие имело вполне симпатичный конец.

К чаю был испечен домашний яблочный пирог и куплен «Киевский» торт. Именно пирог разморил гостя. Его бывшая печь не умела, а этот был такой мягкий, душистый, весь какой-то проникающий. К торту даже не притронулись, хорошо, что коробка от него не была выкинута. Гость, звали его, как все наконец узнали, Сергеем Валерьяновичем, был так любезен, что, зная свойства своего нескладного отчества, сказал: он никогда никого им не напрягает, и можно говорить просто Сергей.

Это был первый полуинтим. Вторым был проход по квартире.

— Это у нас с вами общая стена? — спросил Валерьяныч.

— Да, — ответила Люся, — это моя комната.

— Вы спите через стенку, — засмеялся Иван Кузьмич.

— Папа, не хами, — обрезала Люся, но Яныч все как бы понял правильно и пошлого намека не услышал. Более того! Он как-то вкусно подумал о соединении площадей. Может получиться очень даже приличная квартира, если к ней приложить мысль и руки. А мысль была такая. Из лишней кухни он сделает ветприемную на дому. Это ж насколько другие возникают возможности!

Расставались уже просто как родные. И Люся была поцелована сладкими губами в щеку и слегка, чуть-чуть, прижата за талию. Мама все видела, и у нее затеплело в груди, отец же подумал: «Шустёр-гвоздодёр!» Главное же лицо — барышня — было сконфужено. Но было в этом троганье что-то неизведанное и — скажем прямо — приятное.

Дальше покатилось как с горки.

Яныч пригласил всех к себе, но у Ольги Петровны, на несчастье, случилось родительское собрание (вранье), а у Кузьмича — дежурство (еще одно вранье). И Люся храбро пошла одна к одинокому мужчине. А что может случиться?

А случилось... Выпили по рюмочке коньячка, говенного по сути, но значительного по определению. Сидели рядом на худенькой тахте, и Яныч, довольно долго находившийся на сексуальном посте (или посту?), быстро обнаружил очень аппетитные груди и пошел вниз по известной каждому мужику дорожке. А Люся, неожиданно для самой себя, сдавалась излишне быстро во время этого пока еще поверхностного овладения.

Люся была девственница, чего не мог даже вообразить Яныч. Где же вы видели в наше доступное время тридцатипятилетних целок? Разве что в Книге рекордов Гиннесса. Но что было, то было. И потрясенный Яныч сказал, что он порядочный человек, и он обязан на ней жениться. «Вовсе нет!» — пробормотала ошарашенная всем Люся.

План с квартирой оказался до смешного прост в исполнении. Прием больных животных на дому вне расписания просто был в кармане. Люся же была потрясена необычностью ощущений, приятно-неприятных одновременно. Одним словом, она приняла предложение честного человека, и уже радостно приняла его и вдругорядь.

Она вошла домой на разъезжающихся ногах и сказала родителям, что выходит замуж. От такой скорости мать просто зашатало, и она счастливо поползла по стене вниз.

Вот тут и вернемся к началу нашего рассказа.

В свадьбе дочери-перестарка должна была быть какая-нибудь особенная фишка. Что-то эдакое! Вдруг бы Люсю пригласили на работу в Москву. Или наградили чем-нибудь. Или вдруг брат подарил ей только что купленную машину. Или бы оказался живым и богатым погибший в войну отец Ольги Петровны и прислал бы им приглашение в Люксембург, где у него замок и лебединое озеро. В общем, ум зашел за разум, пошел потоком паморок.

Но, слава богу, это прошло, и мысль стала биться настойчиво, но здраво: она, мать, сама что-то сделает. Нечто.

Шла подготовка к свадьбе недорогой, по средствам, и она вытесняла ту, прежде главную мысль. И тут вдруг...

Идет себе Ольга Петровна по улице, а рядом тормозит машина, и из открывшейся дверцы голос:

— Оль, ты, что ли?

А машина из крутых. У них в городе она таких не встречала. Но к открытой дверце не пошла — испугалась. Так, косила глазом на мужика, который выбирался из машины.

— Не узнаешь? Богатым буду!

Нет, она не узнавала. И нервно полезла за очками, все-таки школа ей глаза поизносила. Не раздвигая дужки, приложила очки к глазам, но тоже ни тпру ни ну...

— Вы же Ольга Клямкина? — уже растерянно спросил мужик. — Кляма?

Ах ты, мать честная! Так ее называл в школе Женька Серов. Он даже, вроде того, был в нее влюблен, но в десятом они уехали из города. Это ж сколько лет прошло! Почти сорок. И ее охватила сладкая радость, что не забыта, что вспомнена.

— Знаешь, по чему я тебя узнал? — говорил мужчина. — По косолапости. Ты одна на всем свете так загребаешь! Не обижаешься? — И он уже стоял рядом, и даже приобнял ее. Вот на этом расстоянии она и признала в пожилом некрасивом дядьке мальчишку, который дразнил ее Клямой. А его приятель, гад такой, добавлял: «Кляма — помойная яма». И она лупила его портфелем по голове.

— И что ты у нас делаешь? — спросила

Ольга Петровна обидчиво, вспомнив эту проклятую яму.

— Удивись, подруга, удивись! Я приехал к вам надолго. Я ваш новый мэр, хотя вы этого еще не знаете.

И тут ее осенило, и тут она забыла про яму, портфель и про всю старую детскую дурь. Вот оно!

— Я дочку замуж выдаю. Приглашаю на свадьбу.

— Это классно, — сказал он, — получится непринужденный приход в народ. Братание, целование... Это хорошо, что я тебя встретил. Еду и думаю: где я видел эти мешающие друг другу коленки?

Одним словом получалось, что ему эта свадьба даже нужнее. Старый мэр проворовался, новый — чужак, но оказался простой такой, узнал про свадьбу и пришел, как свой.

Люди, конечно, это отметили. К Ольге Петровне в школе сразу изменилось отношение. Иван Кузьмич тоже не по делу задрал нос. Ну, что тут скажешь? Мы начальников можем клясть как угодно при выключенной лампе и шепотом. Перед живым и теплым телом начальства мы как та самая трава, которая если уж стелется, то вовсюшеньки, мало никому не покажется. Русский человек, он по клеточному своему составу холуй. И не надо обижаться. Ведь мы еще и курносые, и коротконогие, и пьющие. Это все вместе лежит еще в сперматозоиде, равно как и в яйцеклетке. Куда от этого денешься? Да никуда. Хоть в Америку беги, хоть принимай иудаизм.

Новый мэр сидел рядом с Янычем. Невеста трепетала от гордости, слушая гостя.

— У меня перво-наперво план, чтоб у всех было хорошее жилье. Ваш микрорайон мы снесем к чертовой матери уже на следующий год. Поставим высокие дома, первые два этажа под кафе там, магазинчики, разобьем цветники. Малометражки-малолитражки из жизни вон. Вот и вы, молодые, будете жить в нормальной двухкомнатной квартире. Старики ваши тоже. Дадим им что-нибудь пожиже, чтоб не ломать резко психологию.

У Яныча куда-то вбок, в подмышку гневно и ненавистно билось сердце. Эта сволочь разрушала грандиозный план жизни с правом на частную практику. На хрена ему высотка, нынешний второй этаж — это же самое то. И так все сходилось паз в паз, а пришел идиот и разбил счастье.

И Яныч стал тупо пить водку, хотя вообще-то был человек непьющий. А что было дальше — это на ваше усмотрение. Тут концов уйма.

Смерть чиновника

Я положил к твоей постели
Полузавядшие цветы,
И с лепестками
Мои усталые мечты.

Я нашептал моим левкоям
Об угасающей любви,
И ты к оплаканным покоям
Меня уж больше не зови.

Он ждал, как она ляжет. На левый бок или на правый? Будет дышать громко и зло или ласково скажет: «Спокойной ночи, Сеня»? Он отдавал себе отчет, что это дурь — зависеть от телодвижений жены, от оттенков ее голоса. Но сегодня такой день.

Утром, едва не сбив, его перегнал на Ленинградке его начальник и показал ему при этом язык. Уже на работе, столкнувшись в коридоре, он же, ткнув его в живот, сказал: «Толстеешь, Семен Петрович». А он как раз сегодня взвешивался — не прибавил ни грамма за неделю кремлевской диеты. И язык, и тычок в живот — все это были плохие признаки. Когда несколько лет тому понизили до самого никуда его приятеля, все начиналось с ерунды. «Плохая у тебя стрижка, Михалыч», — сказал ему начальник. Ну, это же волосы, они идиоты, растут быстро, тем не менее на следующий день толпа мужиков стояла в сортире у зеркала, прихорашиваясь, как последние суки. Он тогда посмеялся, и только, но Михалыча сняли через две недели.

А вместо него что? Думаете, пришел молодой Тихонов из «Доживем до понедельника»? Хрен! Пришла чувырла, глаза бы на нее не смотрели. Но перед ней все мели дорожку, а выдвинуть ей стул под жопу стояла очередь. Оказывается, она с Самим работала в Германии. Правда это или нет, никто доподлинно не знал. Но легенда казалась почему-то убедительной: тощая тетка, на немецком — как на своем и занимается дзюдо. Вот и стали сторожить стул.

Этого последнее время стало очень много. Чего? Ну, в общем, этого. Не будем называть вещи своими именами. Семен Петрович не разрешал себе домысливать мысли до конца и тем более превращать их в слова. Слово — звук, а техника теперь такая, что струей в писсуар лишний раз лучше громко не бить. Лучше прижать собственный напор и по-тихому, по-маленькому...

Теперь вот он слушает телодвижения жены. Он, как та самая техника, стал таким улавителем и углядывателем, что не живет спокойно, а все углядывает, услушивает.

На следующий день на Ленинградке они снова встали. Говорили, что Сам еще не проехал. Большинство пассажиров сидели с наушниками. Говорят, теперь это модно — слушать Толстого в исполнении. Он терпеть не мог ушных затычек. Это у него с детства. Ватка там или осмотр. У него просто в голове возникало бешенство — мог и ударить, если там мама или даже врач. А у детей ведь уши болят часто. Так что были проблемы.

Сейчас они стояли, он слушал шипяще-хрустящую тишину пробки. Переклички водителей были односложны и осторожны. Пробка была местом боязливым. Справа по борту стоял начальник одной из партий. Развязный тип. Он громко жрал яблоки в открытом окне, одно, другое, выбрасывая серединку прямо под колеса машины Семена Петровича.

— Не сорил бы, — сказал он ему очень вежливо.

— Не гавкай, — ответил тот и закрыл окно.

Затомилось в груди. По всей иерархии положений они были наравне. Один в Думе, другой в правительстве. Как же тот смел? «Не гавкай!» Надо же. Нашел выражение. Не отшутился там типа «Звиняйте, барин». Так у них говорил один молодой курьер на все замечания старших. «Звиняйте, барин!» — и как-то весело становилось в сердце, спокойно. Все нормально, все в порядке вещей. Когда кто-то сказал курьеру, мол, мы не баре, он засмеялся: «А кто ж вы? «Господа» можно, а «баре» нет? А какая на хрен разница между тем и другим?» Он тогда подумал: уволят пацана. Нет. Не тронули. А потом даже повысили. Бегает теперь на самых верхах жизни. Интересно, позволяет ли он себе там такие шуточки?

Чертово «не гавкай» испортило настроение. Не заметил, как пробка тронулась. В конце концов доехали, но все утро сердце ныло. Жена ему говорила: «А ты лучше ожесточись. Не можешь вслух — пошли их всех в уме на весь алфавит! И станет легче».

На совещании ему стало как-то особенно тоскливо и очень захотелось в туалет. Закалка старого сидельца собраний никогда не подводила, поэтому он был спокоен. Выдержит. И правда, и в душе улеглось, и позыв прошел.

Но в перерыве он рванулся первым, президиум еще договаривал какие-то слова. Но ничего, через секунду уже все шли к выходу. В туалет тоже ворвался первым, первым же вышел, облегченный и почти счастливый. Мыл руки, а к соседнему крану подошел начальник всего их ведомства. Они встретились глазами в зеркале, и ему показалось, что в глазах того была суровость и как бы осуждение. За что? Он окинул взглядом себя всего — все вроде в норме. Костюм там, галстук, как это теперь называют — дресс-код. Он стал ловить глаза начальника в зеркале снова и таки поймал все ту же суровость и осуждение. Они выходили вместе, и в дверях, пропуская начальника, он, сам не понимая, что говорит и зачем, спросил:

— Что-то не так?

— Не люблю хамское разглядывание.

— Да я нет, извините... Голова какая-то сегодня кружливая, — он сказал это как бы с юмором, мол, посмейся со мной над глупым словом.

— Нет такого слова в русском языке, — сказал тот и резко пошел от двери.

Зачем он рванул за ним следом, и сам не знает. Но так хотелось все объяснить. Но еще в дверях его что-то остановило. Возник какой-то странный звук и стал таранить уши с двух сторон, пришлось закрыть их ладонями, и он закачался и упал.

Надо помнить — это ж уборная. Люди там не задерживаются, идут быстро. И первые, что были прямо за ним, были вынуждены переступить через него. Нет, никто не наступил там на грудь или живот, перешагнули аккуратно. И он это еще понимал, и даже мысленно благодарил товарищей своих. Но тут звуки в ушах соединились в середине головы и как бы взорвались. И больше он ничего уже не слышал и не видел. Душа освобожденно выпорхнула, даже не взяв с собой слова благодарности людям. И слова бездарно и нелепо повисли на кончике мертвого языка.

Спать хочется

Я положил к твоей постели
Полузавядшие цветы,
И с лепестками ...
Мои усталые мечты.

Я нашептал моим левкоям
Об угасающей любви,
И ты к оплаканным покоям
Меня уж больше не зови.

Усталость прижимает ее к земле, особенно когда она в машине. Сказать кому! Вся ее работа в машине. Отвезти детей в одну школу, перевезти во вторую, в третью. А она при шофере. Сидит сзади. Отдыхай, дура! Но это постоянное ощущение близости земли, будто нет в машине сидений, исчезают колеса и она стремительно спускается вниз... И уже раскрытая матушка-земля говорит ей: «Не бойся, женщина! Здесь ты отдохнешь». Эти слова она знает. Они из какого-то очень известного текста. «Мы отдохнем, мы отдохнем...» Но она не может вспомнить, откуда. Именно поиски забытого источника держат ее тут. Она столько раньше знала стихов, сейчас в голове полощутся одни обрывки. Вот, например, этот:

Расстояние, версты, мили.
Нас расставили, рассадили.

Откуда — понятия не имеет!

Или:

Неостановимо хлещет жизнь,
Подставляйте миски и тарелки,
Всякая тарелка будет — мелкой...

Нет, в ней давно не хлещет жизнь, в ней — болото. И тихо, как стоячая вода. Вернее так: стояла ее жизнь.

Раньше много знала чего. А, вот, наконец вспомнила. «Мы отдохнем» — это из Чехова. Она в институте играла Сонечку в «Дяде Ване». И из нее шел этот отчаянный крик: «Мы отдохнем».

Откуда она, тогда еще почти девчонка, знала, что будет это бессилие жизни и притягательность разверстой земли? Там еще было что-то про небо в алмазах. Она смотрит в окно машины. На небе точечки утренних звезд. Стылых, равнодушных звезд. Ни одна не блещет, ни одна не мерцает. Видимо, они тоже устали в своем не ведомом никому круговороте. Рухнуть бы им в одночасье на всю эту землю.

Что она есть, эта земля, и мы на ней? Зачем помнятся стихи? Зачем забываются? Зачем она здесь, в этой проклятой машине?

Затем, что кто-то, а может, некто так распорядился ее жизнью, абсолютно благополучной до ее пятидесяти лет. Она — лучший учитель города, муж — классный хирург, двое замечательных детей. Ах, как это она забыла! Дядю Ваню тогда играл ее муж, тоже студент. Это был знаменитый на весь город студенческий театр. Именно после спектакля они кинулись друг к другу и поняли: это навсегда.

Сын потом окончил Плешку, самое то для нового времени, женился, веселились, как какие-нибудь разгуляй-люди. На паях со сватами купили молодым квартиру. Снова гуляли до положения риз.

И дальше все шло хорошо. Сын преуспевал, муж был нарасхват в случаях всяческих кремлевских полипов с угрожающими наклонностями. Дочь с помощью друзей сдала экзамены в пединститут. Не потому что дура, а потому что она откровенно сказала: ей на фиг не нужно образование. «Ваще». Но мать поймет это потом. Одним словом, ни шатко ни валко училась, как дочь заслуженной учительницы, на бюджетном отделении.

Беда пришла с машиной. Сын купил, потому как у всех приятелей уже были. На третьей или четвертой ездке попал в аварию. На горе, с ним в машине был отец, он и погиб сразу, а сын остался без ног. Но и это было еще не все горе. Изловчившись незнамо как, сын, едва его выписали из больницы, перевалился через подоконник с двенадцатого этажа.

Это было восемь лет назад. Уже заголось. Сама удивилась, как быстро все заморозилось. Муж еще снился, еще с ним разговаривалось вечерами, а сына уже не было. Нигде. Никогда. Невестка уже пять лет как вышла замуж, очень удачно, родила двоих. Она помнит, как невестка повторяла после аварии: «Слава богу, нет детей. Как жить с отцом-калекой? Такая нравственная тяжесть для ребенка». Сын это слышал. Невестка была без деликатности. Отношений с ней никаких. С какой стати? Даже на кладбище ходят врозь. Да и ходит ли она? Муж с сыном лежат рядом, у них хорошие могилки, приличные памятнички. «Мы отдохнем», — говорит она им, стоя у оградки.

Дочь все никак не могла выйти замуж.

Сама она ушла из школы в шестьдесят. Так вдруг случилось. Встала утром по будильнику. Душ, чай крепкий. Но, когда стояла у подоконника, возникло такое необоримое желание никуда не идти. Остановило одно: неработающая дочь. В школу та идти категорически не хотела, а что можно уметь после педагогического? В ту минуту, когда матери так остро хотелось остаться дома, дочь крепко спала, она спала до двенадцати, до двух. Возвращавшаяся с работы мать часто находила ее еще в исподнем. Так бывало часов до пяти, пока кто-то из подружек не звал ее на чашку кофе или погонять в бильярд.

— Дай мне пару стольников, у меня только полтинник. — Это их обычный разговор.

Великовозрастная девица сидела на шее матери, презирая ее, училку, всей душой: и мало зарабатывает, и одевается ни во что, и вообще: «Как можно так жить?»

Бывало, сцеплялись до скандала. И всегда побеждала младшая. Она обвязывала голову полотенцем, демонстративно пила тазепам и уходила в свою комнату.

Квартира у них была, по старым временам, просто супер. Три отдельных комнаты, большая кухня, две лоджии. Прекрасная учительница и классный хирург были в их районе элитой. Никто с этим не спорил. Тогда еще ценились и ум, и профессия.

Года через три-четыре после смерти мужа и сына за ней начал ухаживать старый поклонник, тоже, кстати, из времен студенческого театра. В том самом «Дяде Ване» он играл бедного помещика Телегина. Он удивительно искренне и смешно произносил слова: «Я, ваше превосходительство, питаю к науке не только благоговение, но и родственные чувства...» При этом он вытягивал тонкую шею из воротничка и приподнимался на цыпочки.

Он был холост и любил ее, как он говорил, с младых ногтей. И временами... Временами... Ей приходила в голову грешная мысль. Но дочь впадала в остервенение при одном слове о материнском поклоннике. В общем, она, дочь, и разрушила этот трогательный старый роман. И долго потом поминала матери «этот стыд накануне шестидесяти лет». Это оттого, что она одинока, жалела мать свою дочь. Есть порядок вещей: старой матери не положено обзаводиться мужчиной раньше молодой дочери.

Но дочь, как сказали бы в старину, никто за себя не брал. Это была для матери боль, даже больше — страдание.

А тут еще принесли коммунальные платежки. Полный разбой, как тут можно бросить работу? А где найдешь ту, где платят больше?

Выяснилось однако: работа круче была.

Она и стала няней трех детей у очень, очень, очень богатых людей. Вот когда она поняла все про свою квартиру. Ее огромная интеллигентская квартира была, как теперь говорят, полным отстоем.

Она как филолог всегда задумывалась над

истоком слов, задумалась и над этим. Отстой.
Полезла в Даля. Нашла то, что хотела. Отстой — это гуща, осадки, подонки, отсед.
Она — осадок. Ну еще бы! Хотя она и без Даля думала сделать ремонт. Откладывала на
это деньги. Но каждый раз: «Мама, мои сапоги уже никуда»; «Мама! Ты что собираешься
подарить мне на Новый год? Знаешь, есть по-
трясающий кожаный пиджак...» И так далее.
Серые обои. Выпавшие из ранее роскошного
букового паркета пластинки. Сортир старый,
одна его заслуга — смывал говно.

Теперь она живет в доме из зеркал и мра-
мора, но где нет ни одной самой завалящень-
кой книги. Столовая, переполненная хрусталем, но едят в кухне с пластмассовых лоточ-
ков, привезенных из магазина. Хозяин сам
покупает себе копченую курицу и рвет ее руками на глазах у всех, роняя клочки. Курица
пищит на зубах как живая. Но уж когда приходят гости, жуют исключительно под при-
глашенных певиц.

Ей платят в четыре раза больше, чем в
школе. За работу от утра и до утра. Днем
развезти детей, потом с ними позаниматься,
потом уложить их спать, посидеть с каж-
дым — это условие хозяина — для подведе-
ния итогов дня и постановки задач на завтра.

В ее конуре, где пол мраморный и стены тоже, у нее нет даже радио и холодно. Хотела принести свое одеяло и приемник — не разрешили. Во-первых, от радио им посторонний шум, во-вторых, «вам для вашей работы не надо лишней информации, у вас другая задача, а с одеялом вы можете внести инфекцию».

Конечно, дочь от денег стала лучше. Она передает дочери деньги по дороге, прямо из окна машины. Однажды при этом оказался хозяин: ему надо было ехать в спорткомплекс, а ей забирать оттуда детей. Тут-то и подошла дочь. Он открыл дверь и проследил этот стыдный жест передачи денег в конверте.

— Дочь? — спросил он. — Такая большая и красивая, а все сосунок. Да?

Он вышел и проводил дочь через дорогу.

Она видела, что рука его скользнула в глубь одежд дочери, увидела кокетливое увертывание дочери, услышала ее смех. Вот они скрылись за газетным киоском. «Что он себе позволяет?» — думала она как-то странно, верхним, каким-то даже потолочным умом. Нижний же, тот, что отвечал за выпавшие паркетные дощечки, придумал другую мысль: она ему понравилась, он поможет ей с работой. Но его все нет и нет, господских де-

тей пора забирать с занятий, а у нее так
стремно на душе, и опять и снова хочется
спать, спать, спать.

От стремности у нее есть седуксен (он же
годился и для засыпания). Сейчас ей нужна
всего одна таблетка — от мысли, куда они де-
лись — дочь и хозяин. Она достает таблетки.
Косые, кривые руки рассыпают их на сиде-
нье. Придут дети. Не дай Бог, возьмут в рот.
Она ищет таблетки и заглатывает их одну за
другой. Слышит какой-то неизвестный ей
смех дочери. Как странно, она забыла, какой
он у нее настоящий. Таблетки запали между
сиденьями, и она торопится. Сколько их там
было, она не помнит, и сглатывает их, сглатывает... И снова смех дочери, такой сытый, до-
вольный. Хозяин газетного киоска, где они
пристряли, почему-то стоит под дверью. Ему
надо отлучиться, думает она. И снова смех.
Откуда? Из киоска или из-под земли? Спать
хочется, но надо бы выйти, вдохнуть воздуха
и сказать хозяину, что уже время. Шофер,
надвинув на лицо кепку, спит сладко-сладко.
Он лучше знает хозяина, когда тому возвра-
щаться и прочее. А где же дочь? Ведь смех
рядом.

Шофер умеет засыпать на пять минут и
потом чувствовать себя... Кем он себя чувст-

вует? Надо вспомнить! Она ведь тоже хочет так же... Уснуть — и проснуться... каким-то свежим огурцом. Помидором? Кабачком? Нет, не то! А вот еще две сволочи-таблетки на полу. Она наклоняется и падает на них лицом. Она уже спит так крепко, как не спала никогда...

Она спит навсегда.

Из-за киоска, отряхиваясь, выходят довольные дочь и хозяин.

Степь Украинская

Я положил к твоей постели
Полузавядшие цветы,
И с лепестками...
Мои усталые мечты.

Я нашептал моим левкоям
Об усахшей любви,
И ты к оплаканным покоям
Меня уж больше не зови.

Мне двенадцать лет, и мама везет меня на тачке в санаторий для особо ослабленных детей (СООД). Так написано у мамы на бумажке. Мама сумела получить этот бесценный документ после отвратительной борьбы с райкомом партии.

Мама была подпольщица и забивала металлические штыри против немецких танков, едущих к Сталинграду. Вернувшаяся советская власть всякий порушенный от чего-нибудь при немцах домик приписывала себе как собственную заслугу. И не было, мол, никаких самодеятельных подпольщиков типа моей мамы. Как же бились наши партизаны за справки о том, что штыри на шоссе Никитовка — Константиновка были забиты мамой, а на шухере при этом стоял учитель истории Иван Кузьмич. Скривив рот, секретарь райкома выдал документ со словами: «Ну, я вам эту наглость еще припомню. Борцы, ё... вашу мать. Может, вы и Киев брали?»

Я все это знаю, несмотря на свое малолетство и как бы неприсутствие в жизни взрослых людей. Весь мой мир был в книгах. К своим двенадцати я уже прочла и обрыдала «Домби и сына», знала десять томов романиста Всеволода Соловьева, «Мадам Бовари» и даже «Нану». Я своим детским умом пришла к первой самостоятельной мысли: жизнь женщины счастливой не бывает. Не бывает, и все тут! Так бы я и жила в слезах и разочаровании, что родилась девчонкой, если бы не Пушкин. «Барышня-крестьянка», «Капитанская дочка», а главное, «Метель» вернули мне даже не детский, а какой-то светлый и большой оптимизм и взрастили странное, даже глуповатое отношение к Пушкину. Мол, он единственный на свете женский защитник, не угодник, как считалось более верным, не бабник какой-то там, а именно защитник, любящий женщин. А значит, самый умный человек на свете — Пушкин.

Незадолго до этой поездки в СООД я добралась до Чехова. Снова рыдала — над «Спать хочется» и дедушкой Фирсом, запертым в доме, а потом начала читать «Степь». И бросила бы сразу — показалось скучно, — не будь в героях рассказа мальчишки-ровесника Егорушки. Я уже мысленно дружу с ним. Я вообще легко общаюсь с мальчишками. Войну мы встретили в трусиках, только у некоторых девчонок появились на груди горошины. Они и гордились ими, и стеснялись их. У меня — ничего. Я не в курсе главного отличия себя от мальчишек.

Глаза на мир открыл мне Немка, он стал нашим соседом перед самой войной. Бабушка на всякий случай сказала деду: «Укрепи забор. Люди вроде интеллигентные, но мало ли...» Немка был замечательный, он показал мне Большую Медведицу, Полярную звезду и Вегу, на которую я пялилась как оглашенная. Он же показал мне, чем мальчик отличается от девочки, отодвинув доску забора.

— Дура! Все читаешь, а ума нет! — сказала мне на мою новость подружка Тоня. Прижавшись губами к моему уху, она прошептала еще более важную тайну жизни. Наши отличия не случайны, потому как... Сообрази!

Я, конечно, видела жизнь кур, коз, собак и кошек, мы были едины во дворе, но никакого отношения к моим детским размышлениям это не имело, а между тем дети, оказывается, рождались при помощи вялого, с виду тряпочного стручка. «Фу! — сказала я себе. — Как у них некрасиво все устроено по сравнению с нами, девочками». Так вот что он лепетал о соединении, дурак такой! Я рассердилась на Немку, а потом, когда всех евреев расстреляли в балке, не могла себе простить эту сердитость. Маленькая живая писька не выдержала сравнения с тем, что недвижимо лежало в балке. Мне именно ее было жалко до слез.

Так я познала разницу между жизнью и смертью. Я дала себе слово не читать немецких писателей. Никогда и вообще.

Уже в конце войны был у меня еще один друг-мальчик, инвалид Володя, с которым я любила болтать о книжках. Он был старше меня и начитанней. Он рассказал мне про Дон Кихота и про кота Мурра. Это было невероятно стыдно, но во время этого рассказа я увидела в прорехе его штанишек то, что отличало нас друг от друга. Было невероятно стыдно, но было еще нечто, что стыдней стыдного. И я перестала ходить к нему на лавочку, а вскоре подоспел СООД.

...Мама везет меня на тачке по рыжей степи. До этого мы, как и чеховский Егорушка, проехали кладбище и шахты, которые у нас назывались мелкими, потому что спускались в них прямо на попе в специальном «нажопнике», а выкарабкивались на коленках, сдирая пальцы до крови.

Кончились шахты, и пошла более живая, иногда даже зеленеющая жухлая степь. Ветер сворачивал сухую ее траву в кругляки, и они катились, как колобки. Егорушка видел еще возы со снопами, но у нас тут ничего такого не растет. Через три километра, говорит мама, будет Дылеевская балка, там есть ставок и старый дом, очень давно там была церковно-приходская школа, но уже перед войной в нем жили кто ни попадя, мама это место называла «рассадник». Теперь вот присобачили его к детскому санаторию, куда мы едем. И сроду бы меня туда не отправили, но сейчас голод. А в санатории, говорит мама, дают и первое, и второе.

Три километра по ухабистой дороге степи даже ослабленного ребенка везти тяжело, и мама бросает оглобли тачки. Я сразу скатываюсь на землю под колеса.

— Походи ногами, — говорит мама, — а то совсем сомлеешь.

И я иду по степи. Три шага сделала — и уже страшный, огромный паучище заломал травинку и сидел на ней, как какой-нибудь царь-горох.

— Тут паук, — говорю я маме.

— Не вздумай трогать, — кричит она, — они тут ядовитые, заразы.

Зато как красив репейник. Он как бы

многоэтажный, весь разноцветный, и, хотя изначально серый, изнутри у него торчат нежные белые волосинки, и фиолетовые головки от легкого ветра крутятся туда-сюда — чисто девчонки-болтушки.

На привале нас догнала женщина.

— В СООД везешь? — спросила она и притулилась к нашей тачке. Я тоже туда — попроведать своего. Он уже там неделю. Говорят, там плохо кормят.

— Да ты что? — возмутилась мама.

— Повара и директор воруют, аж стон стоит. Шофер мне говорил: «Сколько привожу — столько и увожу». — «А кому?» — спрашиваю. «Так я тебе и скажу. Расстреляют в два счета». Ну, в общем, дети не голодные, борщ постный какой-никакой им варят, кашу... Но без сладкого. Хотя, если подумать: можно без мармелада прожить? Можно. Ну, схожу, посмотрю своими глазами. — Женщина встала. — Нечего жаловаться, война кончилась, хуже уже не будет... Или будет?

Вопрос расслаивается в воздухе. «Как это?» — думаю я. Чудно как. Он как бы стелется над степью и на время зависает. Я даже вижу клубящиеся слова: «можно без мармелада» и «хуже не будет».

Мармелад в небе такой густо-серый, как солдатская шинель, а вот слово «хуже» зависло высоко, и от него во все стороны идут как бы иголки. «Это туча», — говорю я себе строго, хотя солнце стоит на небе ровненько, и надо мной, дурой, тоже.

Она уходит, тетка с широким задом.

— Я пойду навпростэць, — говорит нам она и машет рукой.

— Ладно, — говорит мама, — поедем. Есть же такие люди — им настроение другим испортить, как два пальца сама знаешь что...

— Сейчас, спасу ромашку. Ее какой-то трав обмотал, — отвечаю я и разматываю.

— Наша степь не для ромашек, — говорит мама. — Она у нас для сильных и цепких трав. У них тут такая борьба за жизнь, почище человеческой.

Хорошо было Егорушке на бричке. А я тут на дощечке над колесами, стук-бряк, стук-бряк по попе. Мама всю войну ходила с этой тачкой менять. Менять — значит привозить еду. Так спасался шахтерский поселок от голода. В тачку складывались снятые с окон и вытряхнутые от пыли гардины, мамина горжетка, бабушкино пальто-деми, сшитое еще при каком-то нэпе. Нэп меня интригует. В нашем городе-бубочке тогда был ресторан, и мамин брат, рассказывала мама, играл там на скрипке. Это было до войны. Теперь он враг народа и сидит в тюрьме. Я это знаю, но никому не проговорюсь, за это могут вырвать язык. Я пробовала подергать язык. Ох, как же он не давался просто взять себя в руки. «Значит, его вырывают щипцами», — решила я и поняла, что никогда не проговорюсь про сидящего дядьку.

Мама снова делает передых, уже не выходя из оглобель. Просто стоит, широко расставив ноги.

— Уже видно, — говорит она. — Дым из трубы.

Дым действительно идет, но мне не до него. Я ищу в небе остатки слов «мармелад» и «хуже». «Мармелад» вконец распался, а «хуже» еще виснет, давит, хотя уже не такое страшное «хуже», но лучшим тоже не стало.

Мама остановилась на неровном холмике, тянущемся к горизонту. Я слышала, как бабушка напоследок сказала:

— Придется ехать через еврейское захоронение. Другой дороги нет. Ты там перекрестись трижды, по людям же поедешь. И прочти «Отче наш».

Вот тут я, девочка, поняла очень важную вещь: внутренние мысли куда быстрее текущего времени. С чего бы мне было вспоминать про Немкину пипишку в щели забора? Просто мысль уже знала, что я буду ехать по убитым ни за что людям, и никто не знает —

вдруг я проеду по нему? И я сказала себе, дурочка-девчонка: «Так он мне о себе напомнил. Могла бы и забыть». Забыла ведь и вчера, и позавчера, и третьего дня, а здесь, вблизи засыпанной траншеи, вспомнила мальчика, которого толкали в спину прикладами.

— Фашисты не читали Гофмана, — сказала я вслух. — Они темные, как валенок изнутри.

— Ты от этой своей манеры говорить вслух отвыкай, — сказала мама. — Никогда не уследишь, какое слово из тебя вылетит и в какое ухо влетит.

«Я помню, — подумала я, — язык вырывают щипцами. Рукой невозможно, я пробовала».

Мама стояла в оглоблях и что-то бормотала. Потом резко рванула тачку, и мы опять ехали по обычной колдобистой дороге. Я поняла, что сейчас мы переехали Немку. Я умная, я знаю, там уже одни кости, и его как бы и не было. И маленькая его стыдная часть наверняка была съедена червями раньше других. Но я еще не верила до конца в смерть, я верила в ангелов, в которых превращаются дети. Обязаны превратиться. Это они создают синее небо и пушистые облака, они помогают выживать ромашкам среди репейников и прочих колючек. И еще они забираются в голову писателям и рассказывают им про маленького Домби и капитанскую дочь Машу. И еще дети-ангелы создали Пушкина. И он написал самые удивительные слова о любви: «Бурмин побледнел и бросился к ее ногам».

— Поднимайся, доча. Мы приехали.

Я посмотрела на небо. Оно было ясным. Значит, все будет хорошо? И пусть даже без мармелада.

Большая шевелючая степь смотрела на меня.

«Живи!» — выдохнула степь абсолютно равнодушно, и я поняла, что мне выдан какой-то закон степи, но я его не понимаю и, скорей всего, не пойму никогда.

СООД смотрел решетками окон под большим флагом, где знакомо колыхалась щека к щеке знаменитая четверка самых главных людей на земле. Марксэнгельсленинсталин. Я попробовала это произнести. Получалось «маркшейдеризтсали».

— Я через недельку тебя навещу, — сказала мама. — Будь умницей, хорошо кушай и не болтай лишнего.

— Я буду, — ответила я, и мысленно добавила: «Не волнуйся. Я знаю, что надо молчать, как... Как степь...»

Степь Русская

Я положил к твоей постели
Полузавядшие цветы,
И с лепестками помертвели
Мои усталые мечты.

И пусть в мечтах я вас читаю
Ты не любви тебе не жаль,
Зато я лучше понимаю
Твою любимую печаль.

Я нашептал моим левкоям
Об угасающей любви,
И ты к оплаканным покоям
Меня уж больше не зови.

Это моя первая командировка — в захолустный городок Челябинской области. Старый матерый журналюга редакции напутствует меня словами: «Не видал беды — поезжай в Бреды». Я нервно смеюсь. Мне на самом деле страшно, я храбрая при своих и при свете дня, а мой — он единственный — поезд приезжает в Бреды вечером, и мне еще ехать сколько-то часов до поселка, куда вызвало меня письмо. Райком комсомола осведомлен, меня должны встретить и проводить, но я как-то слабо во все это верю.

Я в журналистике — ноль, я совсем не знаю глухую провинцию, один расчет — я молоденькая и в зеркале ничего себе. Да! Еще зима. Холодрыга будь здоров, и на этот случай у меня нет ничего. Редакция моя — через дорогу, бегаю в так называемых «румынках» — полуботинки с искусственной опушкой. Пальто у меня вообще одно — и на осень, и на зиму. А на голове — смейтесь, смейтесь — берет из такой же опушки, что и на «румынках». Он хорошо лежит только на макушке, на уши его не хватает.

Вот такая вся из себя я и приезжаю. Меня честно встречает высокий, весьма презентабельный человек. Он не из райкома, а, как ни странно, из той деревни, куда я должна ехать. Он как бы подвернулся к случаю райкому, а я ему. Из разговора с ним выясняется, что ехать нам ночью по зимней степи около трех часов. Ехать на санях, дорога скверная, а для ночи трудная. Но тут, как говорится, без вариантов, другого пути нет.

И мы идем к саням. Мне уже холодно так, что спасу нет. Закоченела вся. Я чувствую замороженность локтей и лед ягодиц. Ну, и как я могу про это сказать? На человеке тулуп до самых пят, огромная меховая шапка. И я слышу нервный меховой смех зимней одежды над моим скосившимся беретом.

В санях что-то брошено. Я плохо соображаю, но это оказывается еще один тулуп — для меня. Человек растягивает его на руках, приглашая меня как бы войти в него и вставить свои руки в рукава. Он долго лежал на морозе, тулуп. Он ледяной. Но надо мной стоят с видом, что, если я не буду делать как надо, тулуп на меня просто кинут. И я рухну под его тяжестью в сугроб, и станет у журналистки избушка ледяная, в которой ее и похоронят под названием «Она не выдержала первого испытания делом». Хоть в эту минуту смерть мне даже соблазнительней своим бесчувствием (так мне холодно), но я делаю, как мне велят. Сую руки в ледяные рукава, мне на голову валится ледяной капюшон. Встречающий перехватывает меня веревкой, по его пониманию, в талии, кидает в сани, заталкивая под меня мои же бедные ноги в румынках. Он садится рядом, и мы трогаем, по-моему, незнамо куда. Лошадка бежит борзо, я, находясь в ледяной бане, начинаю думать: три часа я, пожалуй, не выдержу.

Лошадка старается. Сосед мой молчит. Но тут выясняется сила моего слабого тела. Оно, оказывается, может разогреть тулуп. Во всяком случае, через какое-то время я выныриваю носом из капюшона, мгновенно задохнувшись морозом, но чужая рука заталкивает мой мокрый нос обратно. И мне уже хорошо внутри, я даже начинаю думать о высоком. О том, что с лицами девушек так не поступают, их не пихают грубо, что мой сосед — не-

воспитанный мужлан, а чего я ждала на этом
конце света? Я начинаю чувствовать острый
запах кожуха, он мне не нравится, и я проко-
вырываю пальцем в шубном забрале выход
на волю хотя бы для носа. Что я вижу и слышу? Очень холодно — это да. Снега на земле
мало, и сквозь него я вижу не только кочки
земли, но и засохшую траву. И это меня торкает. Именно так я думаю, хотя такое слово в
дистиллированной литературе встречается
редко. Но я недавно из института, я помню
одно из смешных далевских толкований:
торк — внезапный натек силы с разгону.
Я вставляла эти слова в какую-то свою курсо-
вую, мне нравились «натек» и «с разгону».
Я восхищалась безграничностью или чем-то
там еще русской речи.

Вот и тут, еду на санях в какие-то богом
забытые места, снаружи не меньше сорока, а
может, и все пятьдесят, я продырявила по-
тайную дырочку в капюшоне и вижу степь
такой степени застылости, что меня торкает
мысль: а остается в ней что-то живое при таком морозе? Трава?.. Да трава моего детства
в пору зимы — просто юная красавица по
сравнению с этими искривленными колючка-
ми. Вот бы сорвать травинку и размять в ру-

ках, оживет ли она или рассыплется в труху? Я люблю думать о траве больше, чем о чем-либо другом в ботанике. Самая простая, самая примитивная, но самая живучая. И именно в ней рождаются цветы-красавцы.

Но тут я слышу звук, странный такой, ни на что не похожий. И тут же хлест кнута по лошади, и она ускоряет ход. Я дергаюсь внутри тулупа, я же живая, в конце концов, но сильная рука притягивает меня в момент, когда мой ямщик произносит отборнейший, красивейший из всех слышанных мной матов. Он думает, что я не слышу. А я ковыряю себе дырочку обзора, и пусть мне холодно, пусть холод обладает невероятным свойством протыкать мгновенно и до потрохов, но я хочу понять эти звуки степи. И я вижу больших собак. «Собачки», — произношу я в дырочку. «Молчи, дура, это волки». И снова этот упоительный, не пугающий, не оскорбляющий мат. Я запишу его потом и выучу.

И только позднее соображаю, что мне сказали: рядом бегут волки. И это они от злости, что колоритная пища просто существует рядом, один прыжок — и мешок со мной будет у них. И тут только понимаю, почему меня держат в таком обхвате, как везут краденую невесту от дома злодея папеньки. И меня охватывает ужас, и я молю лошадку быть посноровистей, я посылаю ей «натек силы с разгону». И тут же вижу огоньки: значит, мы приближаемся к цивилизации. И вой становится тише, еще чуть-чуть, и его уже нет.

Вынимая меня из возка, мой сопровождающий не задает мне никаких вопросов типа «Ну что, испугалась?». Он быстро ведет меня в избу, в которой так же холодно, как на улице, но возле печки приготовлены дровишки, из какого, интересно, леса, если степь да степь кругом?

Мне объясняют, что лес, конечно, далеко, но дровами запасаются загодя. И говорит мой сопроводила хорошо, правильно, с милым уральским оканьем, и ни одного тебе нехорошего слова, даже типа «дура», имея в виду печь, которая почему-то не разгоралась. Но в конце концов все сладилось, с меня сняли кожух, я почувствовала себя голой в своем пальто, «румынках» и берете на макушке. Поэтому, когда мне предложили раздеться, я даже засмущалась.

Далее началось чудное. На большой стол для заседаний (это была комната сельсовета) был положен мой кожух.

— Спать будем здесь, — сказал он мне. — В гостинице у нас нет женских мест. Да и мужских уже тоже. У нас партконференция. Тебя проводить в уборную?

— Я что, маленькая? — спрашиваю я не сердито, не возмущенно, а растерянно.

— Идем, — говорит он.

Мы проходим мимо избы, на которой написано «Гостиница». За ней меня оставляют на ровном месте. Небо в мелких крапинках звезд, стена гостиницы, а дальше, видимо, хлев со смачным хрюком.

Природу не перехитришь. Я сажусь под звездами, под хрюканье. И думаю о светлом дне, который настанет, и как, и где мне присесть при свете дня?

Возвращаюсь в уже чуть потеплевшее «зало заседаний» — так написано на двери.

— «Зало» пишется без «о», — говорю я сидящему моему человеку.

— Ну, зачеркни, — отвечает он.

Я возвращаюсь и отрываю «о». И с ним вхожу снова.

— Я его оторвала, — говорю я.

— Вот и возьми на память. Давай лучше спать. У нас люди рано встают. Уже скоро.

Он ложится на стол и укрывается своим кожухом.

— Ложись рядом.

Ситуация — как с «пописать» — без выхода. И я лезу на стол, и мы прижимаемся друг к другу спинами. В топке печи догорают дровишки. Больше их нет. Значит, это просто был знак гостеприимства — дрова на раз. В степи, где бегают волки, нет дров. Их надо беречь. Ночами печи не топят, люди спят в постелях. А вот я на столе, прижавшись к твердой спине роскошно матерящегося дядьки. Не забыть бы к утру его слова. Все-таки я по образованию филолог, мне это интересно. В газету про это не напишешь, но радость фольклористу из института я доставлю отменную. И он мне скажет, старчески покрякивая:

— Люблю девочек, у которых ушки как поблядушки, всегда открыты новому. Такого мне давно никто не привозил. Где ты была?

И я расскажу ему про волков, которые были близко-близко, и про перекрестный мат ямщика и волков, наверное, тоже.

Я засыпаю просто в умилении.

Я ведь еще не знаю, что там стоит за письмом в редакцию.

Не спрашивайте меня, умывалась я или нет и чистила ли зубы. Мне полили из ковшика на руки растаявшим снегом. Какая-то закутанная тетка, не глядя на меня, принесла мне стакан чаю и слегка размороженный беляш. Сопровождающий, хоть бы назвался наконец, принес мне маленький детский полушубок, треух и валенки.

— Ваши вещи будут в этом шкафу. — И он открыл канцелярский шкаф с полками.

Пришлось пальто класть плашмя на полку, берет сверху, а румынки вниз.

— Закройте ключиком и возьмите с собой. Дом, куда вам надо, в конце улицы, он предпоследний. Поезд дневной, трехчасовой, так что вам надо вернуться сюда не позднее двенадцати. Сейчас восемь.

Еще темно, и мне не по себе идти одной. Но сопровождать меня — много чести.

Мне не холодно. Люди, возящиеся во дворе, смотрят любопытно, одна тетенька кричит:

— А вы из каких будете?..

Бреду. Бреды. Бредятина.

Письмо, по которому я приехала, о том, что директор дома детей-инвалидов совращает девчонок, и вот нате вам, у одной инвалидки родился урод, и кому его кормить, если мать — никакая, а у бабушки еще трое на руках. А директор сказал грубо: «Зачем мне ваша уродина? Нормальных, что ли, мало?» Действительно много. И в школе, и в телятнике, и на фабричке-швейке. И во всем этом мне надо разобраться за четыре часа, хотя командировка у меня на три дня. Что, потом не будет поездов и лошадей? Чудно! Крошечные, как бы вросшие в землю домишки — просто какая-то насмешка над величием степи, что налево, направо и кругом, и как бы даже сверху. И вдруг я отчетливо вижу, как эта промерзлая насквозь земля дышит, как подымается она и опадает, как тяжело из нее выходит дух, взметая слабенький снежок. Почему-то мне кажется, что волки где-то рядом, что воют они сознательно, согласно своему волчьему распорядку, и что они следят за мной, такой одной на этой улице и в этой степи.

Наконец я у нужной избы, и меня волки не съели.

Меня впустили внутрь дурно пахнущего жилища. Огромная, животастая тетка, узнав, кто я, возмутилась во все горло.

— И шо? Вы, девчонка, будете справляться с этими бандитами? И у вас есть такое слово? Против них?

И она отдергивает занавеску. На нечистой кровати сидит девчонка с тяжелым, каким-то мертвым подбородком, который, в сущности, и есть ее лицо: настолько маленькие глаза-щелки, узкий, в два пальца, лоб и приплюснутый, сползающий на верхнюю губу нос. Она ненормальна — не нужно обследований. Из большой висячей груди она кормит младенца — точную копию себя самой.

— Вот они! — говорит женщина. — Ее с трудом взяли в швейку, научилась через пень-колоду подметывать грубое. А теперь куда с ним? Она даже задницу ему не соображает вытереть.

— Чего вы хотите?

— Или пусть забирают урода, или пусть директор платит алименты.

— Где можно найти директора? — спросила я. — Где тут интернат?

И тут она стала что-то вопить. Это были слова, сопли и слезы сразу. Тут же завопил младенец, откуда-то сверху, с полатей, спрыгнул мальчишка лет двенадцати и стал хлестать женщину по лицу ошметком старого вафельного полотенца, одновременно говоря мне, что сегодня партконференция, и там все начальство. Женщина замолкает, но как-то не так, и я вижу в окно ставшую вертикально степь, и будто она движется прямо на эту самую избу, и вот она уже наклоняется, огромная, беспощадная, вздыбленная, сейчас она накроет нас и решит сама собой все вопросы.

Мне не хочется быть раздавленной степью вместе с этими людьми, и я выскакиваю из избы, и слышу, как она хлопает за моей спиной — степь. Но все стоит на месте. В избе крики, а тут, на улице, тишина, и степь тихо дышит, как я приметила раньше.

Я бреду в райком. Но мысли мои о том, что мне виделось-привиделось. Гнев, отвращение степи к людям, которые на ней живут. Я и раньше не раз думала мысль о том, что все живое разумно. Река дает нам брод — переходите, горы дают ископаемое — пользуйтесь, а уж что говорить о деревьях, о цветах. Так почему же не допустить их права на гнев, на отвращение к человеку как бы разумному, но в сущности своей безумному, ибо только жалкий льстец мог назвать человека венцом природы. Я их сейчас видела: тетка-венец, подававшая мне чай, эта семья с огромными подбородками, кусок полотенца, которым сражался мальчишка.

Венцы?!

В общем, «заблукав», как говорят на Украине, в этих своих корявых мыслях, я добралась до райкома. Мне надо было отметить командировку, найти директора интерната и поговорить с кем-нибудь из местных начальников.

Меня не пустили в «зало», потому что у меня не было партбилета, а его у меня не было, потому что я была комсомолкой. Не было у меня и приглашения на партконференцию. Одним словом, я была здесь никто и звали меня никак.

Я топталась на крыльце с сознанием сорванного задания, когда ко мне подошел мой сопровождающий.

— Справились? — спросил он насмешливо.

— Почти, — сказала я. — Мне бы еще секретаря райкома и директора интерната.

— Не те у вас вопросы, чтоб отрывать человека от дел. Идемте в столовую, поедим и поедем. Если приедем раньше поезда, вы там посидите. У нас вокзал теплый.

Почему я сомнамбулически слушаюсь этого человека? Оттого что он спас меня от волков?

Нам дали обед. Я вдруг поняла, что хочу есть, и сильно. Он смотрел на меня с интересом, и я думала, что после обеда спрошу, наконец, его имя и кто он есть. Но спросила я о другом.

— Вы ощущаете, живя здесь, какая мощь у степи? Она и дышит, и вздымается...

— Ох эти журналисты. Ремонт сельхозтехники ребром стоит. В поликлинике сломался рентген. Вот напишите, что нам нужен рентген, что это не чья-то кляуза, а реальная вещь, необходимая каждый день.

Я идиотка. Что такое рентген?

Меня торопливо сажают в сани, укутав тем же кожухом. Меня практически силой вывозят, не дав ни в чем разобраться. Райком свирепо занят рентгеном — ах, вспомнила, что это такое, — чтобы еще отвлекаться на дурацкие письма разных идиотов. Директор интерната? Он тоже на партактиве. А где же ему быть? Он же директор.

Днем волки нас не сопровождали. И не было изысканного мата. Я оставила кожух в возке, и он отвел меня в вокзал, где, как выяснилось, был уже на меня билет. Я полезла было за деньгами, но он меня остановил: «Какая там у вас зарплата?..»

Мой поезд должен был прийти через полтора часа.

— Мы с вами так и не познакомились, — сказала я. — Как вас зовут? И кем вы работаете?

Он смотрел долго и насмешливо. А потом сказал:

— Я тот самый директор убогих. Я знал, что эта старая дура написала на меня телегу, и я вас перехватил. Вы видели ребенка? Он мог быть моим? Они там в интернате трахаются друг с другом, с рабочими, с мастерами. И что? Я им буду мешать? Какие еще у них в жизни радости? Я тоже не безгрешен, но не в этом случае. Сына хозяйки видели? Смышленый такой парень, пойдет по комсомольской линии. Вот он мой сын. У меня здоровое семя, и я его куда попадя не кидаю. Вот вас хотел на столе трахнуть, но это потом такая неприятность на голову... вы того не стоите. Писать вам не о чем. Ублюдки размножаются по правилам своего ублюдства. Нечего нормальным людям совать в это нос. У нас тут волки. Знаете, сколько их тут? Запомните это, девушка, и забудьте сюда дорогу. Перехвачу любого. Но не каждого довезу через степь. Вы ее правильно почувствовали. Она помощней гор будет, посильней океана. Ну, ладно. Пока, барышня. Отдадим младенца в спецучреждение. А Костик, сынок мой, с двумя бабами разберется лучше всякой прессы.

И он ушел. Высокий дядька, знающий толк в мате и во многом другом.

А вдруг бы вздыбилась степь ночью, и нас развернуло бы друг к другу на столе зала заседаний, и я родила бы бойкого мальчика для комсомольской, а то и партийной работы.

И имя бы ему было Степь.

В редакции меня не то что не ругали, а даже обласкали. Мол, звонили оттуда, сказали, как я во все вникала и во всем разобралась. Вот только степи с волками испугалась. Дурочка.

Степь Израильская

Я положил к твоей постели
Полузавядшие цветы,
И с лепестками
Мои усталые мечты.

И пусть в мечтах я вас читаю,
Тебя любовь твоя не знаю,
Зато я лучше понимаю
Твою любимую печаль.

Я нашептал моим левкоям
Об угасающей любви,
И ты к оплаканным покоям
Меня уж больше не зови.

Признаюсь сразу в своем географическом идиотизме. Пустыня и степь — разные, как говорят в науке, биомы. Это я из словаря взяла. Но вот я еду по израильской пустыне — и степные воспоминания делают со мной что хотят. А я не девочка, я уже бабушка, но широта пространства по-прежнему делает со мной что хочет. Хочется растирать в руках траву из желтой земли пустыни и пробовать ее на вкус. На абсолютно синем небе я вижу пустыню как бы в зеркале, и там она у меня другая, грудастая, пышущая, сочная. Мы едем на машине по хорошей дороге, справа от нас, достаточно далеко, чтобы разглядеть подробности, стойбище бедуинов. Бродят верблюды, черные пятна лиц мужчин подчеркивают белизну одеяний. Им нет до нас дела, и это спокойное сосуществование мчащихся колес и величественных горбов навевает какие-то странные для меня мысли. Мир сочетаем, он не враждебен, и это тем более странно, что на севере Израиля стреляют вовсю. Я смотрю на облака — пышную грудь пустыни в зеркале неба. Но откуда у них соски, готовые дать нам молоко жизни? Я отдаю себе отчет, что это мой обычный бред — видеть во всем наши знаки судьбы.

Мой племянник и его жена озабочены дочерью, которую тошнит в машине, и мы останавливаемся. Я выхожу на кромку дороги и вижу на ней какие-то странные проводочки, они убегают в желтую бесконечность, а я трогаю их пальцем. Их невозможно растереть в руке, чтоб понюхать и лизнуть. Они людской природы, в том смысле, что их сделали люди. Провода, по которым бежит вода.

— Что это? — спрашиваю я.

— Это вода для бедуинов.

Желтая степь напоена водой, но никто не посягнул на ее исконную пустынную сущность. И это торжество здешнего правила над дурью русских засух наполняет меня странным чувством зависти к разуму, оставленному этой земле. Богатейшие пространства России умирают от безводья, а тут какие-то полудикие народы пользуются высочайшей технологией. И я, украинка, плачу на обочине еврейской дороги и думаю о странном: на меня здесь не обрушивается небо и не встает дыбом пустыня. Я гожусь здесь такая, какая я есть, меня принимает эта природа, и мне не надо с ней бороться. Тогда как в родном отечестве я всю свою уже долгую жизнь участвовала в какой-нибудь остервенелой борьбе. Против суши или половодья, за урожай или его спасение после жатвы. В моем отечестве идет постоянная борьба — то за природу, то против нее. И всем от этого становится не лучше, а хуже. А если бы у нас еще бродили бедуины с верблюдами?.. Но у нас же есть цыгане, и они делят с нами наше все.

Я подымаю голову. Мне так легко дышится, пустыня спокойна, горда и величава.

Где-то здесь, думает моя голова, только и могла зародиться жизнь. Но Боже мой! О чем это я? При чем тут это? Разве я не знаю, что именно здесь сын первого человека на земле уже убил своего брата? Дальше — не сосчитать... Но об этом я подумаю потом. Слишком хорошо сейчас. Божественно хорошо. Синее небо, дивные облака и воздух, исполненный какого-то необъяснимого смысла (воздух — смысла? Что это со мной?).

Но я заговариваюсь, вернее замысливаюсь дальше. Меня настигает, постигает или просто обрушивает ощущение веры, веры в единое начало меня и песка, бедуина и машины, солнца и земли.

Ан не все так просто, хоть в степи под Херсоном, хоть в пустыне Негев. По шоссе, с обратной от нас стороны, едет машина. Она тормозит возле нашей, и мужчина, выйдя, спрашивает, не случилось ли что.

— Ничего, — отвечает жена племянника, — дочку укачало.

Меня, сидящую на обочине, не видно. Из машины выходит женщина и подходит к девочке.

— Хочешь сока? Минералки?

Девочка согласно качает головой.

А я смотрю на женщину. Это дочь моей подруги Жанна Клячкина. Но это ее фамилия по отцу, потом она была, дай Бог памяти, Ситченко, потом не то Шпуцер, не то Штуцер. Кто она сейчас, я не знаю. Как не знает и ее мать. Уже лет десять тому, в самый что ни на есть дефолт, дочь бросила неудачливого в делах мужа, свою дочь-подростка, родителей со всеми их проблемами старости и уехала с этим Шпутуцером в Израиль. Дочери она пообещала, что заберет ее как только, так сразу. Родителям не сочла нужным сказать даже до свидания (такой бы подняли вой — себе дороже, объясняла она другим).

С тех пор о ней ни слуху ни духу. Одно время она слала открытки дочери, сообщая, что как только, так сразу приближается неукоснительно. Потом и эта связь прервалась.

Мужчина, что вышел из машины, Шпу Шту не был. Я видела того и даже немного знала: старый, некрасивый еврей, лживистый, хитроватый и без понятия добра и зла (они у него менялись местами в зависимости от обстоятельств); у него были деньги, а Жанка по внешности была вполне презентабельна для роли жены-содержанки. Кто был тот, что стоял по ту сторону машины, я могла только предполагать. Новый муж? Любовник?..

Какое мое дело? С ее родителями я давно не общалась. Они продали квартиру в Москве и купили домик в деревне. Опростились, стали рьяными прихожанами церкви. Внучка вышла за финна и живет где-то там, где мне было бы холодно.

Никакой удивительности судьбы, рядовой русский развал бывшей советской семьи, где нелюбовь друг к другу заложена в основание. Слишком много Ленина, слишком много Сталина, избыток красного и недостаток всего остального — продуктов, штанов, доброты. Откуда ей быть в стране победившего ГУЛАГа?..

И не мне осуждать кого-то, мой сын,

единственный и обожаемый, спрыгнул с родного сеновала одним из первых. Врачует жителей Миннесоты и говорит по телефону так раздраженно, будто мы у него на хлеб просим. И где-то там растут неведомые мне внуки. Очень долго их мордочки висели у меня на стенах, пока они не выросли, но других фотографий я так и не дождалась.

Я поднялась и без надежды помахала рукой Жанне. Она шла мне навстречу неуверенно, видимо, лихорадочно соображая, что за тетка возникла у нее на пути.

— Привет! — сказала она. — Вы тетя Катя, или я ошиблась?

— Нет, — ответила я и подошла, чтобы ее обнять, как ту девочку, которая росла у меня на глазах. Но она отстранилась, не демонстративно, а будто ей надо нагнуться и поправить запавший задник туфли. Я поняла, хотя в сердце кольнуло и подумалось о Миннесоте.

— Какими судьбами? — спросила она.

— Племянник здесь. Помнишь его — Миша — поехала крыша?

— Ну да, он ведь первый рванул в Израиль. А мы еще все надеялись, что в России есть умные... Это его девчонку вырвало? Я помню, Мишка тоже был тошнильный. А где ваш красавец?

Тут я вспомнила, как моя подруга вынашивала мысль поженить наших детей. И мой «красавец» сказал: «Мать, я что, мешком ударенный? Она же сука по определению».

— В Миннесоте, — сказала я. — Все у него путем.

Я увидела, как искривилось ее лицо от моей лжи. Разве я знаю, как там у сына? Разве я видела внуков? Разве он приглашал нас с отцом в гости? Наше общение — телефон на проводах раздражения. Так что не имело смысла так уж ей расстраиваться.

— У тебя-то все в порядке? Ты в новом замуже или просто тебя подвозят?

— Это мой третий. Но, судя по всему, не избежать и четвертого. Думаю, не рвануть ли в Финляндию к дочке. Ей там нравится, но, боюсь, мне будет холодно. Я полюбила солнышко.

— Детей нет?

— Вы всегда меня держали за идиотку. Я помню. Вы все время в меня тыкали Диккенсом...

— Да господь с тобой! Хотя виновата... Я сыну его тыкала, и многих других тоже. Ну, прости меня, старую дуру... Скажи (*вот ведь идиотка, прости господи, ну кто меня за язык тащил щипцами моего детства*), а может, вернешься домой? Знаешь, родину не дураки придумали...

— Я кто? — спросила она грубо и громко, можно сказать, на всю степь-пустынюшку, и мне даже показалось, что та всколыхнулась рыжим своим цветом и как. бы чуть приподнялась.

— Родители-идиоты продали квартиру в Москве. Ехать к ним в деревню? Я что, ужаленная? Еще три раза замуж выйду, но назад ни ногой.

— Ну, хоть бы в гости приехала. Россия совсем другая стала (ну, кто из меня извлекает банальности?).

— С чего бы это она другая? С денег? С нефти?

— Вот бы и вышла дома за олигарха, раз тут не все получилось.

— С чего вы взяли? Может, я с этим еще останусь. Он хороший дядька, родители его — сволочи. Я им не подхожу. Он, дурак, страдает. Я ему говорю: насри! Чтоб задохнулись, жабы. Но у него понятия. Какой идиот придумал понятия? Бог? Так у него первый же внук — убийца. (Боже мой, я ведь только что об этом думала.) Ну, и где были понятия, если три человека на земле не могли в них разобраться. Каждый за себя. И нет закона слушать и почитать родителей. За что? За то, что родили? А я просила об этом? Это же им хотелось трахаться, ребенок — побочный случайный продукт. Вот и все.

И вдруг она зарыдала, громко так, по-русски, во всю ивановскую. Ее какой-то звериный вой поднял всех, вышел из машины ее мужчина, подошли мои, повернули головы верблюды, и только желтая пустыня не вставала стеной, не корчилась своим роскошным разноцветным телом, а Жанна, не переставая выть, пошла по дороге, за ней медленно ехал на машине муж — не муж, мои тоже стали мне махать руками: садись, мол. Так это и выглядело: две разъезжающиеся машины и идущая с открытым воющим ртом женщина.

— Надо ее догнать, — сказала я племяннику.

— Ей есть кому. А нам в другую сторону.

— Но я хочу знать, сядет она в машину или нет, здесь же степь да степь кругом.

— Это не степь, а пустыня, — сказала жена племянника. — Здесь другие правила. Она сядет в машину. Деваться ей некуда.

«Ну да, — думаю я. — Не всколыхнулась пустыня, не встала дыбом. В царстве покоя и высокого, высокого неба вопль русской бабы, потерявшей себя и во времени, и в пространстве, — ничто. Я все время смотрела в заднее стекло, я все-таки увидела, что она села в машину. Может, и сладится у нее тут в третий раз и не придется ехать к холодным финнам, которые вряд ли поймут идущее горлом горе. Именно оно шло из нее, а то я не знаю плач русских баб? Оказывается, куда бы ни занесла их судьба, кричат они одинаково. Великое русское плаканье, начавшееся в Путивле на городской стене. И нет ему конца. Степь ли, пустыня ли... Стонет русская баба во всех одеяниях и при разнообразных мужиках одинаково. Как волк в ночи... И это не интеллигентный цветаевский вскрик: «Мой милый, что тебе я сделала?» Тут кричит сама русская суть. Кричит Русь.

Скажут: клевета на русских женщин! Они некрасовские! Они тургеневские!

Да бросьте вы! В пустыне выла та русская, что способна на раз бросить детей, на два — родителей, на три — выбросить младенца в сортир. И это только часть правды о ней. Вот и кричит в ней вселенский стыд и позор страшней волчьего воя... Я слышала... Я видела... Я знаю.

Толстый и тонкий

Я положил к твоей постели
Полузавядшие цветы,
И с лепестками

И пусть в мечтах я все читаю
Тебе любовь, тебя не зная
Зато я лучше понимаю
Твою любовную печаль.

Мои усталые мечты.

Я нашептал моим левкоям
Об угасающей любви,
И ты к оплаканным покоям
Меня уж больше не зови.

Я не люблю, чтоб ты меня...
Для нас слюбовны красота...
...я уж жива на подушки
И мои холодные уста.

Он тяжело сопел, неся растянутую сумку, но запросто мог перегнать этого высокого и тонкого, в дорогом пальто с хлястиком, до которого почти доставала косичка из светлых и гладких волос. Что-то его, толстого и потного, будоражило: не то хлястик, не то эта косичка, не то задники ботинок, цена которым ой-ой-ой.

Хотелось перегнать и заглянуть в лицо, но сволочь-сумка так тянула жилы, что сердце уже колошматилось не в груди, а где-то в районе желудка, и желудок на это присутствие чужака как-то противно булькал, вызывая тошноту. Но тот, что шел впереди, вдруг остановился и стал что-то поправлять в дорогом ботинке, и он его догнал, увидел склоненное лицо и вот тут обалдел окончательно. Это был его одноклассник Серега Жареный, такая у него была фамилия, ни больше ни меньше.

— Серега! Ты? — спросил толстый одышливо и сипло.

И тот выровнялся. И смотрел на него с какой-то почти невероятной высоты, потому что сумка бухнулась на землю и ему пришлось без сил присесть на нее.

— А я иду и думаю, кто же это такой? Вроде знаю, а вроде и нет.

— А! Это ты, кругляш! — засмеялся длинный.

— Кругляш! — захохотал тот, что с сумкой. — Я и забыл! Я был маленький и верткий, да?

— Ты был жирдяй, — ответил другой добродушно.

— Ну да, ну да... У нас вся порода, у мужиков, такая, мясная...

Они отошли в сторону. Тонкий в черт знает каких мод пальто и с девичьим хвостиком и толстый с одышкой и сумкой большого переезда.

«Какой он стал убогий», — думал тонкий.

«Какой он стал — ну, как его? — слово такое, никакой памяти, а...» — вспомнил и неожиданно произнес вслух толстый:

— Ламурный ты стал прямо-таки.

— Ля мур — это любовь... Ты сказал почти правильно, хотя хотел сказать — гламурный.

— Ага! Точно, я хотел этого слова, но не вспомнил. Дурак какой! Ну, да ладно. Гламурный. А ты так не считаешь?

— Я же не знаю, что ты вкладываешь в это слово. Может, какую-нибудь гадость...

— Да ты что! Просто у тебя пальто суперпупер и ботинки. И эта косичка. Как-то смешновато. Нам по сколько, ты помнишь?

— Да ничего... Уже... дяденьки. Ты за что на этом свете получаешь деньги?

Толстый замялся. Он вообще-то гордился своим положением в миру. Не деньгами, а именно положением. Как теперь говорят — статусом. К нему люди идут. Разные. Всякие. И ему даже захотелось назвать этих людей. Актер один народный ходит, футболист из «Динамо», женщины вполне приличные из «Березки», не магазина бывшего, а танцевального шоу. Почему-то больше всего хотелось вставить это вот последнее слово. Шоу. Сказать и обязательно показать, что он всегда знал разницу между этим словом и известным писателем.

Но Жареный уже как бы пытался уйти,

не дождавшись ответа, с видом «оно мне нужно, кто ты?», и ушел бы, но толстый полусидел на сумке у него на дороге и был в себе очень бурен. В смысле, бурно соображал.

— У меня, между прочим, термы, — сказал он гордо и встал с сумки. Спроси у него накануне, что такое термы, он бы, может, и почесал потылицу, а тут оно возьми и выскочи, такое толстое от слегка раскоряченной крыши буквы «Т» слово. Вот тебе, хлястик!

Теперь уже остановился высокий и тонкий. Слово как-то нехорошо ткнуло, ибо было непонятным. Но ведь не мог этот кругляш с мешком знать то, чего не знал он? Хотя сейчас из Интернета столько приходит чужих слов, поди разберись. Мешочник же смутился смятением одноклассника и был уже не рад, что назвал Савеловские бани, подгнивающие на корню, термами, высоким римским определением. Но так хотелось хоть чем-то унизить это пальто с хлястиком. И они оба молчали и тупо смотрели друг на друга.

— Я неплохо зарабатываю, — сказал кругляш. — Жену с работы снял, за детьми теперь глаз да глаз нужен... У тебя они есть?

— Я холост, — гордо сказал тонкий. — Баб как грязи, бери не хочу, а женитьба — это головная боль. Достаточно посмотреть хотя бы на тебя.

И сказано это было ядовито. Еще бы! Вид у кругляша был никакой, затрюханный, а сумке-волокуше было лет двадцать, не меньше.

— Ну не скажи, — обиделся толстый. — Каждую ночь у тебя своя теплая, мягкая женщина. Мне это хорошо и надо! А так что? Таскать с улицы? Кого ни попадя?

— Сами приходят и дают, — ответил тонкий где-то слышанными словами. Вот черт, забыл, кто это сказал. А тут еще эти термы, тоже где-то слышал. Надо пить винпоцетин, красивый такой актер рекламирует.

— А ты кем служишь или кому? — спросил толстый. — Вид у тебя, конечно, не чета мне, но родители у тебя были, как и у меня, из простых, рабочие.

— Они уже помре, — сказал тонкий. — Не выдержали ветра перемен.

— Мои еще скрипят, — ответил толстый. — Дачка у них сарайчиком стоит. Ну, и огородик какой-никакой. Но, скажу тебе, вареньем на зиму обеспечены, ну и картошкой там, свеклушей с моркошей. Так все-таки где ты и кто? Начальник какой? Я забыл, ты что кончал?

— Я не кончил... Ушел с пятого... Незаконченное высшее называется... Я ж на геофаке учился в педе. Увял с тоски.

— Ну и? — приставал толстый.

— Я в шоу-бизнесе служу российскому народу. Ха-ха!

«Вот как! — подумал толстый. — Недаром это слово у меня уже в голове сидело. Шоу». И спросил прямо:

— Поешь? Пляшешь? Ко мне приходит ваш народ.

— Я круче! — гордо сказал тонкий. — Я работаю с шестом и на шесте. — Это тебе, гад, за неведомые термы, думал он, пошевели своей немытой головой, что это, вон какие грязные космы торчат из-под траченного молью берета. Откуда этому сумочному идиоту знать про шест?

— А! — сказал толстый, ничего не поняв. Но решил, что это цирк, что ж еще? Тонкий и ловкий, он карабкается по шесту к куполу. Красиво, еж твою двадцать, не то что «поддай парку, начальник». — Ну и славно! Пойдем по своим! Рад был тебя встретить. Смотрю, идет такой красивый с косичкой. Сразу подумалось — наверное, артист цирка.

И артист не возражал. Его только задевали эти чертовы термы. Надо бы познать, надо бы.

А толстый решил читать цирковые афишки, и как только увидит фамилию Жареный, так и купит билет.

А Жареный думал, что этот идиот ничего не понял. Конечно, он артист, а кто же? Но не какой-нибудь, он особенный, он штучный. Он стриптизер. А вот что такое термы, он так и не знает. Самое близкое слово на памяти — термиты. Наверняка он травит какую-то мелкую нечисть. И в этой страшной сумке у него яд для нее.

И тонкий еще более напружинился и даже вильнул задом с ощущением полного превосходства над неудачником-одноклассником. Термитом, одним словом.

«А с шеста можно и хряпнуться», — думал толстый. Но тут же вспомнил скользкий пол бани, как однажды у него разъехались ноги так, что едва не лопнуло в самом главном месте. Так что — что там говорить. Они оба рискуют жизнью, зарабатывая на хлеб. И толстый даже веселее понес сумку. Навернуться с шеста — мало не покажется. И сумка стала еще легче, ибо ничто так не смазывает сердечные сосуды русскому человеку, как мысль, что другому хуже, чем тебе.

Тоска

Я положил к твоей постели
Полузавядшие цветы,
И с лепестками Мои усталые мечты.

Я нашептал моим левкоям
Об угасающей любви,
И ты к оплаканным покоям
Меня уж больше не зови.

Она настигала его ближе к вечеру, когда в западном окне квартиры уже появлялся кусочек солнца, и был он каким-то агрессивным, колючим, и бил прямо в глаз, вот тут она и приходила, вся и надолго. Тоска-боль. Или боль-тоска. Он знал ее приближение, когда начинало саднить в душе так, что очень хотелось выйти на западный балкон и прыгнуть этой сволочи-солнцу прямо в морду, раз и навсегда. И несчитово сколько раз он держался за перила и клонил, и клонил голову, становясь на цыпочки. Но тут такая непонятная хохма: гневило солнце, а внизу была земля, и она не притягивала, как было бы правильно по закону притяжения, а отторгала его готовые перешагнуть через перила ноги. Она даже как-то брезгливо гримасничала снизу, и он, мокрый от пережитых секунд, шел на кухню и кружками пил воду, чтобы залить эту проклятую горючую боль в душе.

И каждый раз жена появлялась в дверях и говорила громко и противно:

— Как только у тебя мочевой пузырь не лопнет!

И этот, упомянутый, сразу давал о себе знать, и он шел в туалет, и теперь уже струя гнобила его душу. Вот, мол, идет из тебя одна моча, а боль-тоска так и осталась при тебе. Живи и мочись, никчемный старый дурак.

С этого момента он начинал ждать прихода темноты. Нет, он что-то делал, пришивал жене подметку к босоножке, крутил мясо на тугой и тупой мясорубке, ввинчивал лампочку в общем коридоре: никогда никакая сволочь этого не сделает, хоть неделю ходи в темноте и лапай ладонями двери, ища замок.

Конечно, всякая такая домашняя дрянь отвлекала разрастающуюся к ночи боль-тоску. И он искал занятие еще поглупее, чтоб, делая его, можно было позлиться. Злость не то чтобы побеждала тоску, она ее как бы примазывала. И тогда он брал молоток и стучал им по шляпкам вылезающих гвоздей. Они бы еще сто лет держали кухонную тряпочку-прихваточку, но он не давал им расслабляться в стене, гвоздям, и таким образом брал себя в руки. Жена уже не ругалась, она привыкла к мужниной суете к вечеру, она ее презирала.

— Почитал бы, что ли, книжку, — говорила она ему. — Соседка принесла, говорит, хорошая, детсктив.

— Вот и читай, своими словами потом расскажешь.

Он не догадывался (или догадывался?), что в этот момент бутылка из-под подсолнечного масла, которую жена собиралась выбросить, целилась ему прямо в затылок, но женщина, они ведь, что там ни говори, соображающая порода, понимала: пластмассой не убьешь, а вою будет не в сказке сказать. Не надо думать, что она так уж мечтала прибить мужа. Нет! Просто временами что-то накатывало и кончалось всегда одним и тем же — слезами.

Думалось о дочери, которая снялась с места в поисках счастья да так и канула. За последние уже десять лет пришли два куцых письмишка, одно — что, мол, жива-здорова, вышла замуж за немца, у него магазинчик, торгует нижним бельем. Пришлю тебе, мама, трусики, закачаешься. Не закачалась мама. Просто никаких трусиков не пришло. Второе письмо было про то, что с бельевым мужем она разошлась и переехала в Италию. Работает домоправительницей у старой синьоры, у которой нет никого, и она обещала ей за обслуживание оставить домик. Вот она и блюдет его как свой собственный. И все. С концами.

Был бы жив Володечка! Но он погиб в Афганистане, не оставив им внуков. Никого у них нет, кроме друг друга. Так что замахнуться пластмассовой бутылкой можно и хочется, но чтоб убить... Она должна умереть первой. Ей его смерть не перенести, похороны там, поминки... Пусть он помудохается с этим хоть раз в жизни. А то одни лампочки и шляпки гвоздей — вся его деятельность.

Вечер наступал быстро. Что бы там ни говорили астрономы и физики, поднимается солнце медленно, лениво, а заходит в момент. И не надо было старику смотреть на часы, время живет в нем внутри, он его чует своей болью. Вот и сейчас так быстро стемнело, самый пик боли, и у него нет другого желания, как скорее, скорее выйти навстречу темени. Жена называет это «обязательной прогулкой на ночь», и нет более омерзительных для него слов. Он одевается по погоде и идет вдоль трамвайных путей медленно. Колея, как и балконные перила, несет в себе сладкую смертную тягу. Взять и лечь. Материализоваться из тьмы и лечь, чтоб не успел оглянуться водитель. Ну, пусть потом поорет, попроклинает. Ему-то что, ему это все будет до фени.

Но так было месяц тому назад. Сейчас он не ляжет на рельсы, как бы ни обольщала его боль-тоска. Он знает, куда идет.

Он идет в соседний двор, на самую крайнюю лавочку на детской площадке, ту, что под гаражами. Там его ждет его спасение от боли. Спасение зовут Сеней.

Месяц тому он так же вышел на свой променад-маринад. И у него возьми и развяжись шнурок. Так он рвался из дома. Он извинился перед женщиной с ребенком, сидящими на лавочке, и, присев на кончик ее, стал затягивать ботинок.

— Извините, — сказала женщина. — Очень, очень извините. Вы тут часто гуляете. Не посидите ли с мальчиком минут десять, не больше, боюсь, аптека закроется, а мальчик боится, когда много людей. А вас он уже знает. Он вас называет Шушу. А его зовут Сеня.

Старик посмотрел на мальчика. Это был урод с изломанным телом. Глаза у него были огромные, навыкате, и в них не было разума.

— Шушу, — сказал ему мальчик и как бы протянул руки.

Сначала был просто ужас, но женщина быстро встала и, поблагодарив, подвинула мальчика к нему, и, весь такой, как сломанная кукла, он остался лежать на лавке, только голова мальчика оказалась на его коленях. Женщина убегала, а его охватил смертный страх, что она не вернется. Сколько на Руси брошено детей здоровых и умных, уродов же не сосчитать.

— Ты Сеня? — спросил он мальчика, глядя в эти безумные глаза сверху.

Мальчик издал какой-то странный звук, но пустые глаза как-то высветлились ответом «да», а изо рта вышло: «Шушу». Не зная, как поступить, он взял его на руки, как берут нормального. Шарнирное тело крутилось в его руках, но мальчик это принял. Он все время старался смотреть ему прямо в лицо. И тогда старик, взяв под мышки, поднял его, держа лицом к лицу. Он оказался достаточно тяжел, чтобы так его держать долго, и он посадил его на колени лицом к себе. И вдруг почувствовал, что мальчику нравятся перемены поз. А от этой, на коленях, он издал странный звук, похожий на смех. И — странное дело — лицо обрело смысл. Пусть на мгновение, но так было.

Он стал подбрасывать его на коленях, и мальчик снова издал странный звук, но тут же изо рта у него пошла пена. Но уже подбегала мать, она его положила на лавку, вытерла ему губы, а потом поцеловала их.

— Вот так и живем, — сказала она. — Спасибо вам, я успела. Отец, сын мой, от него отказался, мать тоже, я его бабушка. Мужа схоронила, он это все не выдержал. А я теперь не могу умереть, не имею права.

— Вы не похожи на бабушку, — сказал он.

— Мне сорок два. Сене четыре. Он безнадежный, у него все болезни, которые есть на свете, он умрет. Все этого ждут. Но никто не верит, что я этого боюсь больше всего. У него ведь есть крупицы и разума, и крупицы силы, и крупицы чувств. Когда они возникают, это такое счастье. А мне счастья не так много перепало в жизни, чтобы пренебрегать малостью. Он так иногда разумно смотрит, иногда погладит мне руку, иногда засмеется. Многие люди и этого не имеют. Я знаю. Я вижу.

— А что врачи? — спросил он.

— Утверждают, что для России случай безнадежный. Но в Европе это лечат. Мне назвали эту цифру... Предлагают забрать в больницу. Вы бы своего отдали, вот такого, беззащитного?

— Вопрос вопросов, — ответил он. — Но мне он тоже улыбнулся. Клянусь богом!

— Он вас давно приметил. Вы же ходите тут по линии. Мне всегда за вас страшно. Я сказала Сене: «Какой неразумный дядя, не боится трамваев». А он сказал: «Шушу». Так мы вас и называем. У него два слова. Я — Бубу, вы — Шушу. Ну, извините, нам пора. У нас режим. А гуляем мы поздно, от людских глаз подальше. Я боюсь людей. И Сеня тоже. Люди — самый большой его ужас. К вам это не относится.

И она ушла, неся на руках этого полуживого, неразумного ребенка. Крупицу своего счастья. И он вдруг остро понял, что если бы ему достался от сына или дочери вот такой обрубок, он бы вел себя так же. У него ведь тоже дефицит счастья.

С тех пор каждый вечер он здесь. В любую непогодь. В дождь они приходят под огромным резиновым плащом-палаткой. Что будет зимой? Он спросил про детскую коляску. Она ответила, что коляска есть, но в ней мальчику боязно, поэтому пока ее руки могут, она будет его носить.

...Вот и сейчас он торопился туда. Он не рассказывал жене об этой странной привязанности к бездумному калеке. То-то поднялось бы! Он уходит, как обычно; как обычно, возвращается. Моцион — ни больше ни меньше.

Он берет ребенка на руки. И он, так у них повелось, подставляет тому свое лицо. И мальчик хватает его за нос, а потом начинает гладить щеки. В этот же раз у старика от детских ладошек побежали слезы. Это не понравилось ребенку, эмоция была такая сильная, что исчезло его привычное застывшее лицо, а возникло гневное, и он изо всей силы сказал: «Фу!» Старик был счастлив, как ребенок. Но на месте радости не бывает слез, а они все шли, и лицо мальчика снова застывает в маске, и последнее, что он делает, — говорит: «Шушу».

— Вот видите, — говорит женщина, — в нем есть живые эмоции, будь у него отец, играй с ним, может, и сдвинулась бы эта болезнь с места. Но врачи меня уверяют, что нет...

Так они сидят около часа. Домой он идет,

медленно волоча как будто чужие ноги. Чтобы отдохнуть, он прижимается к железной стене гаража. И слезы как прорвало. Он плачет и думает, что хорошо бы им всем соединиться и жить вместе. Ну, как бы съехаться, как это делают при размене. Но жена разве согласится? После их личной драмы с детьми она без устали повторяет: «В этой стране рожают только идиоты. Нам за все сделанное с людьми надо вымереть как народу. До основанья. А потом на лучшее пространство земли, какое занимает Россия, завезти разные национальности в детском возрасте. А чтоб учителями у них были проверенные комиссией мира педагоги. Русский человек — это вечное горе земли».

И он тыкал в лицо жене Толстого и Чайковского, Пушкина и Кулибина... Да мало ли кого? Много! В этом был какой-то невероятный парадокс его мысли. Разве может безумный, злой, жестокий народ рождать такое величие?

— Где оно, величие? — кричала жена. — Ткни мне пальцем хоть в одно живое величие, а не в покойника.

И он терялся. Окружающая его жизнь людей была отвратна. Бедные злели от нищеты. Богатые зверели от богатства. У тех и у других росли дети-уроды — у одних от голода и холода, у других — от бессмысленности существования. И те и другие дети подрастали с ненавистью друг к другу. Первые от зависти, вторые от презрения. Мир трещал по самому важному шву — молодому поколению. И погибал мальчик, которого скорее всего можно было бы спасти, если бы родина не была сукой.

Старик вжимался в ржавое железо, а мимо проскакивал железный трамвай, и тоска, пуще прежней, заполняла его всего, без остатка. И он брел домой, и только нос и щеки оставались живыми от слез и пальцев безумного ребенка.

На повороте к дому он поднял глаза на свои окна.

Распластанно, руками и грудью прижималась к стеклу жена. Да, он сегодня задержался у гаража. Он представил, как она резко раздвинула занавески окна и, погасив свет, уставилась на дорогу его возвращения. Как прилипает она носом и лбом к стеклу, как громко и хрипло дышит, как колотится ее сердце от ужаса возможной беды, как она зовет беду на себя, пусть с ней что-то случится, но только не с ним.

Он махнул ей какой-то особенно бессильной рукой. Старенькая дурочка, видишь, я жив и иду, но нет у меня для тебя крупицы счастья. Ты ведь не полюбишь Сеню. И уже без конца и края его поглотила боль-тоска. И остро, до тошноты пахло ржавчиной, которую он от души стер спиной. «Запах порчи, — подумал он. — Как всё в масть».

Унтер Пришибеев

Я положил к твоей постели
Полузавядшие цветы,
И с лепестками
Мои усталые мечты.

Я нашептал моим левкоям
Об угасающей любви,
И ты к оплаканным покоям
Меня уж больше не зови.

...Тут я чуть не спалила дом. Поставила варить бигуди и забыла про них. Вскочила из-за письменного стола, когда в дверь и звонили, и стучали. Дым выходил в окошко кухни и взбаламутил бдительную общественность. Слава ей, слава.

Тут нужны подробности. Я живу на первом этаже хрущевки, окно моей кухни — на расстоянии вытянутой руки от подъезда. Когда я готовлю обед, мой сосед знает мое меню. Один знакомый алкан говорил мне, что они любят выпивать под мои запахи, когда закусить нечем. Вот почему улица раньше меня, бывает, знает, что у меня сбежало молоко. Форточка у меня открыта постоянно, потому что дом сырой, и, если ее не оставить открытой, в доме поселяется плесень, чуть-чуть — и пойдут грибы.

Когда затрезвонили и застучали, я поняла, что сама — дура беспамятная, схватила полотенце и кинула поджарку из бигудей в раковину, полотенце вспыхнуло от мисочки ярким пламенем, на это все пришлось открыть полный напор воды.

Я хорошо представляю этот дым отечества из моей форточки и людскую панику. Старый, осыпающийся изнутри дом был, как тот пионер, всегда готов к пожару.

Сделав как можно более безгрешное лицо, я пошла открывать дверь. Там стояли пожарные, милиция и «Скорая».

— Господи! — сказала я. — У меня загорелось полотенце, когда я снимала с плиты чайник.

Пожарные ушли сразу, медсестра спросила, не кружится ли у меня голова. «Чад довольно противный. Странное у вас полотенце». — «Посмотрите сами», — сказала я. «Я сам все проверю», — сказал милиционер и направился в квартиру. Он от двери посмотрел на уже потухшее в раковине полотенце, скрывающее зловонные бигуди, и вошел в комнату.

— С вами надо побеседовать, — сказал он. — Вы представляете опасность для окружающих. Огонь — это вам не вода. Это не протечка, хотя и она тоже безобразие...

— Вы садитесь, — сказала я, предполагая,

что мне будут перечислены все возможные
от меня беды.

Он сел в кресло. Я села за свой стол. Он
не снял толстую серую цигейковую зимнюю
шапку, и в сидячем виде шапка не то подав-
ляла его, не то возвеличивала. «Ему бы жезл, —
думала я, — чем не царь племени каких-ни-
будь кривичей».

Видимо, он понял, что я думаю про него
не самое лучшее (хотя что может быть лучше, чем быть царем, все начальники и мело-
човка разных степеней мечтают о кусочке
жезла, малости державы и какой-нибудь княж-
не в темнице для сладострастия: решетки на
окнах и нары, выстланные молодым телом).

И тут мой гость заговорил.

— Вы не думайте, — сказал он, откашли-
ваясь в перчатку, не снятую с руки, — что я
какой-нибудь оборотень в погонах. Я при исполнении.

— Ну, кто ж такое может про вас подумать? Я как раз воображала вас с жезлом, из-
за вашей мощной шапки.

Это был слишком тонкий намек: сними,
мол, дурак, шапку, у меня же жарко, и ты по-
теешь.

Но он сделал обиженное лицо и сказал:

— Вы много себе воображаете, имея столько книг, а они знаете какие горючие. Я могу завести на вас дело за пожар. До сих пор гарь в нос бьет.

Еще бы! Пластмасса горит — уйди-вырвусь, как говаривала моя бабушка. У нее горел гребешок. Свалился на печку и задымился. Тоже было не слабо. У нас с ней много парных случаев по жизни. Бигуди, гребешок и даже милиционер. И я со свистом падаю в прошлое, цепляя глазом место, куда мне обязательно надо будет вернуться. Устойчивая точка — необоротень в погонах с воображаемым мною жезлом.

Что быстро летит время, знают все, но только некоторым дано знать собственный полет во времени, какова его быстрота. Миг — и я в 1952 году, на стадионе моей родной Щербиновки, пришла болеть за футбольную команду шахты имени Ворошилова против шахты имени Артема. 9 Мая. Праздник. Не протолкнуться. Для сравнения и понимания. Это тогда, как нынче «Челси» против «Арсенала». Так как людей больше, чем пространства, милиция выдавливает за пределы стадиона самый незначительный элемент природы — школьников. Я в то время, девочка задиристая, оканчиваю школу, иду на медаль

240

и мечтаю открыть новый способ получения каучука, который в принципе мне на фиг не нужен. Он нужен родине. А я, как и все, еще живу под впечатлением Победы. У меня на этой почве паморок. Я забыла — а я все хорошо знала — убитых прадедов в коллективизацию, дядьев — в кровавом тридцать седьмом. Я в момент стадиона пятьдесят второго года — патриотка до белых глаз, и все во мне пищит от восторга родины чудесной. И хочется подарить ей каучук. На, мол, бери, любимая страна.

И тут является мильтон выпроваживать нас со стадиона. Нельзя трогать оголенный провод и воспаленных патриотизмом задиристых девочек. «Вы что ведете себя как унтер Пришибеев?» — спрашиваю я звонко и тонко.

Тут надо сказать главное. В школе тогда хорошо учили Чехова, и про этого унтера народ знал. Знал, как ужасен был этот царский исполнительный дурак-крикун. Знал это и мильтон, что пришел нас выгонять. Он спросил, кто я и как зовут. Я гордо сказала, он записал, но — крест святая икона — оставил нас в покое. Мы даже смеялись ему вслед. Такой был буколическо-патриотический момент в одну секунду моей жизни. Потом было совсем другое.

Унтер доложил обо мне директору. Тот был злой, как сатана, в школе, но, когда дело касалось нарушений за ее пределами, все пропускал мимо ушей. Он сказал, что поговорит с родителями, и побыстрей вытолкал унтера. Живой милиционер в хорошей школе — непорядок куда больший, чем какая-то болтовня девчонки. Но, встретив мою бабушку на улице, директор все-таки попенял ей. «Куда она (в смысле я) смотрит? У нее на носу выпускной, может быть, медаль, а если этот дурак пойдет языком болтать — это будет ей помеха в будущем. Он ведь и в райком сходит. С него станется».

...Я не знала, куда собиралась идти бабушка. Но если бы дело происходило сегодня, в моей голове мог возникнуть ответ — к любовнику. Косыночка на голове файдешиновая, уши открыты, а в них блескучие сережки, туфли на венском каблуке с перепоночкой, чулки фильдеперсовые, бежевый пыльник с отворотами на рукавах, чтоб видны были рукава ажурной блузки. А главное — бровки взяты на карандаш и малиновой помадой вздобрены губы.

— Куда это она? — спросила я у мамы.

— Куда? Куда? — закричала мама. — Сама не знаешь? Ты что, забыла, за что посадили твоего дядьку? За анекдот! А ты в лицо хамишь милиционеру. — И мама замахнулась на меня бабушкиной домашней, только что снятой косынкой.

И вот тут мне стало страшно — за бабушку, за маму и за себя тоже, за всю свою уже пропащую жизнь. Но никто меня не утешал. Потому что все могло быть, потому что так было, потому что на том стояла могучая жестокая система.

Но в каждой истории, как бы прискорбна она ни была, всегда есть толика смеха как спасения. И кому-то она по судьбе достается. Откуда мне было знать, что унтер, который был моложе бабушки лет на десять, много раз звал ее (при живом муже — в этом-то гнездилась унтерская фишка) замуж. Как выпьет, так и зовет. И обещает ей златые горы и что там еще полагается. А мужа, мол, твоего пристрелю за шурфами, никто и не найдет. Отрезвев, он чисто мылся и одевался и, подловив бабушку где-нибудь у колонки или в магазине, повторял те же слова с еще большей страстью, а бывало, падал ей в ноги.

А тут она сама к нему пришла! Он так растерялся, что заплакал от счастья, думал — сбылась мечта. А бабушка тут же набила ему морду, объяснив, кто та соплюха, что назвала его унтером Пришибеевым.

— Прости! — кричал он ей. — Прости! Я не сообразил сразу. Пойди за меня! Ведь жизнь кончается, я уже старый, а я тебя даже пальчиком не потрогал... А я так тебя хочу!

— Тьфу на тебя! — сказала бабушка, и история на том кончилась. Никуда он не пошел. И тут хоть смейся, хоть плачь, но любовь к моей бабушке оказалась сильней Сталина, райкома и грядущего сразу за послевоенным голодом коммунизма. Это ж какая должна быть любовь!

...И какова сила погружения в воспоминания. Но я возвращаюсь. Один миг — и я сижу за своим столом, напротив меня милиционер, по его лбу текут крупные капли пота, они же — по щекам. Он сопит и задает вопрос, от которого сильно потел.

— А вы где работаете? — спрашивает он.

— Вот тут. За столом.

— Это я вижу. Я по сути дела, имею в виду трудовую книжку и стаж.

— Я корректор. Исправляю неграмотность.

— Значит, вы вроде учителя, — говорит он.

— Значит, вроде, — отвечаю я.

— А платят вам аккордно или сдельно?

— Я на ставке. Но иногда возникает халтура. Это за отдельные деньги.

— В общем, не пропадаете?

— Не пропадаю, — отвечаю я.

— Это хорошо, — говорит он.

— Вы простите, — говорю я, — но у меня спешная работа. У вас есть ко мне вопросы? В сущности, ведь ничего не случилось.

— Случилось. Милиция была. «Скорую» сняли с дороги, а может, там было сердце. Сравните своей головой — сгоревшее полотенце и сердце.

Против этого у меня нет аргумента.

А он достает планшет, листок бумаги и пишет большими буквами — «Протокол».

Как это он сказал? Я представляю опасность. Огонь был? Был! Дым валил? Валил. И, возможно, где-то из-за меня умер человек. За это уже надо стрелять.

Пусть составляет протокол. Он в своем праве. Пусть меня по закону оштрафуют. Это все нормально. Это даже правильно.

— Пишите, — говорю я ему. — Из-за меня были сорваны с места люди. Нет вопросов. Вам нужен мой паспорт?

Его лицо уже совсем мокрое.

— Снимите шапку, — говорю я ему. — Вы в ней загоритесь.

Он послушно снимает. Волосы его абсолютно мокрые, но ему явно стало легче.

— Сколько у вас книг, — говорит он. — Неужели все прочитали?

— А вы любите читать?

— Мы занятые люди, — говорит он сурово. — Нам не до того.

Вид у него не унтера, а точнехонько пришибеевский. Неужели это мое хилое нарушение так его повергло?

— У Чехова, — говорю я, — есть смешной рассказ про вашего брата. Называется «Унтер Пришибеев». Не слышали?

— Я люблю советские книжки. Про майора Пронина и других.

— Тоже дело, — говорю я. — Тоже буквы. Вам дать мой паспорт?

Он молчит, мокрый и глупый.

— Вы давно в милиции?

— А что? Я же говорю, я не оборотень, я только месяц...

— Откуда вы?

— Мы деревенские. Там все сгибло, нет работы, волки воют.

Мне жалко его до слез.

— Давайте я сама во всем признаюсь. Мол, так и так, поставила варить бигуди...

Он молчит, а потом выговаривает почти виновато:

— Давайте лучше договоримся.

— В смысле? — не сразу доходит до меня. Я тупая, и не врубаюсь.

— Стольник — и разойдемся.

Ужас! У меня нет стольника. У меня в кошельке пятихатка, как говорит моя внучка.

— Сдача найдется?

— Давайте, я принесу сдачу.

И я почему-то отдаю ему деньги. И он уходит с мокрыми волосами и шапкой в руках.

Я ждала его до вечера, ждала на другой день. Он не вернулся. Не буду пыжиться: четыреста рублей для меня деньги, я немолодая женщина, а он мальчишка. «Покрутись и заработай», — это я мысленно говорю ему. Идти в милицию? С чем? Какие у меня доказательства? Встретить его на улице и дать по морде. Как моя бабушка? Совсем не тот случай. Меня же привлекут, и правильно, между прочим.

Как это у Чехова? Мир изменился, и жить на свете уже никак невозможно. Так размышлял унтер-офицер, каптенармус. И бабушкин поклонник наверняка думал так же тогда, на стадионе. О чем думал мой герой?

Он ведь как представился: «Я не оборотень в погонах». Сбежав из «сгиблой деревни», он хотел лучшей жизни. И познал: для этого надо стать оборотнем. Но не получалось. Никак. Не было случая. И тут в руках оказалась не просимая сотня — пятьсот! Я просто вижу, как он ходит вокруг дома, комкая в руках разменянные деньги. Два шага — и он человек. Но мои окна светятся уютно, а у него жесткая койка в общаге. Из моей форточки пахнет хорошим кофе. «У нее халтура, сама сказала. А почему ж мне нельзя?» И крутит его оборотень и так, и эдак, и человек в нем извивается, как уж на сковородке, и перед глазами единственный путь — сгиблая его родина, и другого варианта нет. И он идет на свою железную койку, и у него снова взмокла шапка, жмут сапоги, во рту противный вкус застывшего беляша. Бедный ты мой, оборотень Пришибеев.

Хороший конец

Я положил к твоей постели
Полузавядшие цветы,
И с лепестками...
Мои усталые мечты.

Я нашептал моим левкоям
Об угасающей любви,
И ты к оплаканным покоям
Меня уж больше не зови.

Сергей Иванович ненавидел жильцов своего подъезда, как Каин Авеля. Но если у Каина были на это свои хоть какие-то причины, глупые на наш взгляд, то у Сергея Ивановича ненависть была животной. Садясь в лифт с соседями, он щетинился, как лабрадор, увидевший кошку. И люди-кошки как-то это сразу чувствовали. И, бывало, не садились с ним, если он был в лифте один.

Мария Петровна, жена, знала об этом. Неужели наши люди смолчат и не скажут, по дружбе, конечно: ну, Маша, твой мужик такая, извини, сволочь, что как ты с ним — понятия не имею. Мария Петровна заходилась в крике, мол, всякая интеллигентность теперь не в почете, а муж ее кандидат наук, а не какой-нибудь пальцем сделанный шофер. Результат можете себе представить, слово за слово, спасибо лифту, он делал остановку — и кому-то выходить. Величайшее это достижение техники — распахнутая на выход дверь лифта. Покричишь потом на площадке, открытым ртом вверх или вниз, и остается радостное ощущение последнего слова за тобой.

Мария Петровна возвращалась домой белая, как стенка, и выдавала мужу по полной программе коммунистической морали. «И что ты себе думаешь, дурак?» «И слабо тебе сдерживать гордость кандидата наук?» И прочее, прочее.

После одного такого скандала Сергей Иванович резко переселился спать на тахту типа «Ладога», оставив Марию Петровну одну в полуторной кровати. К моменту нашей истории они жили так уже пять лет. Мария Петровна смущалась этим разноположением, потому что упрямый Сергей Иванович нет чтобы уложить постельное белье в кровать, оставлял его на тахте, мол, так я сплю и не иначе, и мне плевать, какие вопросы могут возникнуть у разного там приходящего в дом быдла. Ему было тесно на «Ладоге», но душа его пела от сознания совершенной им справедливости.

А в это время их дочь-перестарок, старая дева в прямом смысле этого слова, разногольничала в отдельной, пусть и маленькой комнате. У нее было твердое убеждение правильности раздела ложа родителей, потому как совесть надо иметь спать пенсионерам вместе, это ж какой-то разврат типа однополой любви или там еще чего. Старик и старуха —

это хуже, чем «Дом-2», где все сношаются друг с другом на глазах у камер. Дочери Ва- люше просто плохо делалось от всех этих безобразий. И хорошо, что родители опомни- лись. За это она будет пить с ними вечерний чай с любимым «Деревенским Наполеоном». Не каждый день, конечно, но при наличии торта — обязательно. А то ей мать приносила в «детскую» ломтики, а когда ей хотелось до- бавки, то коробка была уже пуста и мать за- талкивала ее в мусорное ведро. Родители бы- ли такие сластены, что аж противно.

А потом случилось это.

Сергею Ивановичу снился сон. Он идет по улице, и тут откуда ни возьмись туча, и как брызни на него. Он аж заворочался во сне, та- кими наглыми были капли этого воистину слепого дождя, как говорилось в детстве. Он крутился под ним, как уж на сковородке, пока не сообразил, что каплет на него не во сне, а на самом что ни на есть яву. Он включил ноч- ник и увидел над собой невероятной величи- ны мокрое пятно (со сна все казалось страш- нее) и мелкую сочащуюся прямо на него ка- пель. Ох, как он вскочил! Ох, как он заорал!

Была в его крике, кроме гнева, плохо скры- ваемая радость от того, что он правильно ду- мал о человечестве вообще и о живущих с ним в одном доме.

Он помчался наверх, не застегнув как следует пуговицы, а палец в кнопку соседского звонка вдавил так, что пришлось его выдергивать до появления капли крови. Тут уж представьте себе все сами!

Из квартиры вышел абсолютно сонный, в трусах, мужик и сразу все сказал единственным точным языком общения. Но Сергей Иванович уже ворвался в квартиру и увидел то, что хотел. Пол в кухне был мокр, а из трубы под краном хлобыстало как следует.

— Ё-моё! — сказал сосед. — Это ж прорвало систему. Я в этом деле не копенгаген.

— Мне без разницы, — ответил гордо Сергей Иванович, — копенгаген или система. За ремонт будешь платить, и обещаю — мало тебе не будет.

— Вы мне не тычьте, — сказал сосед, — мы с вами гусей вместе не пасли. А платить я не буду, потому как за трубу в стене я не отвечаю. Она принадлежит государству. — И он стал выталкивать Сергея Ивановича, сунув предварительно на место протечки таз.

Таз был из старых, цинковый, вода отбивала в нем удивительную мелодию радости и победы. Под ее звуки и покинул квартиру Сергей Иванович. Дома он обнаружил хорошо мокрую «Ладогу» и растрепанных женщин. Он двинул ложе посередь комнаты, а на пол поставил уже свой таз, эмалированный. И был обескуражен разностью мелодий двух тазов. Тот, верхний, просто был гусаром, а этот, что на полу, не звучал, а попискивал. Было в этом что-то обидное для высокой души Сергея Ивановича.

— Ну, ложись на кровать, — сказала глупость жена. — Все равно до утра это не кончится. Это же надо перекрыть воду.

— Я позвоню в диспетчерскую, — сказала Валюша.

И, конечно, получила отлуп, слесаря не было, он где-то что-то уже перекрывал.

Сергей Иванович факту этому обрадовался. В нем играло ретивое, и страсть ободрать как липку соседа была сродни памороку. Он уже писал заявления в суд, в ЖЭК и в депутатскую комиссию.

Он своего добился. Воду таки перекрыли, а вот в смысле ее возвращения история возникала смутная.

— Система старая, — сказала ему депутат, — сгнило изнутри. Потерпите. В ванной же и уборной вода есть. Представьте, если бы прорвало там, а не на кухне. Вот это был бы караул.

— Но каждый должен следить за своим состоянием. Капает — подставь ведро там или тазик. У всякого интеллигентного человека это в хозяйстве есть.

— Это частично верно. Но человек спал, нет закона не давать человеку спать. И вы ведь спали... Ну, ваша беда, что вы оказались ниже.

Сергей Иванович не мог найти концов для возмездия и пошел прямым путем. Он стал требовать за ремонт потолка деньги.

Тут пришло время познакомиться с ответчиком.

Михаил Николаевич был холост и работал печатником в типографии. Двухкомнатную, аналогичную с Сергеем Ивановичем квартиру он получил еще при живой матери. Она умерла уже пять лет тому, Михаил Николаевич ощущал себя царем в своей квартире. Заботливая мать успела обставить ее рижскими гарнитурами, еще когда была в силе, она была толковым товароведом. До последнего дня жизни она следила за пятнышками и трещинками, меняя раз в два года обивку дивана и кресел, протирала до блеска фарфоровый и хрустальный сервизы. И сынок оказался хорошим учеником, все, что было в квартире, по-прежнему имело вид только что сделанной уборки.

Конечно, мать хотела, чтобы он женился еще при ней, чтоб увидеть внуков и научить невестку придавать хрусталю особый блеск и свечение. Но не вышло.

С мамой было так уютно, а женщин хватало с лихвой в типографии и издательстве. Он любил ночные смены и ночных корректорш. Был у них там закуток за печатными машинами с тумбочкой и топчанчиком. Сладкое место любви. Правда, последние годы куражу у Михаила Николаевича убавилось. Он так это заметил: отмечали его полтинник, пели, пили, а в закуток его не потянуло. Отметил про себя факт, но не придал значения.

Когда умерла мама, можно было уже не скрючиваться под звуки работающей полиграфической техники, приведи женщину в свой дом, постели чистую постель... Вот это как раз и напрягало: чужое тело на его чистом белье. Это же потом кипятить его надо. Мама после чужих заночевавших в доме людей все кипятила. У нее были для этого цинковая выварка и цинковый таз. Так что все осталось по-старому — нечастый закуток и полный порядок в доме.

А тут еще время пошло крученое-верченое. Менялась технология, менялись начальники, старые кадры заменялись нагловатым молодым народом. Закуток был практически занят круглые сутки. Да не очень-то ему и хотелось. А вот дома попискивало в душе и сердце. Что ни говори, если ты не монах в скиту, одиночество — вещь безрадостная.

Конечно, масса преимуществ материальных. Сам себя Михаил Николаевич обслуживал вполне. И питался хорошо, и прикупал себе куртки и джинсы. А потом как-то враз повысили плату за квартиру и телефон. Увидал кожаный пиджак, но на цену уже не взошел. Стал скопидомничать и думать страшную мысль о пенсии.

Вот именно в этот момент этот придурок снизу стал с него требовать деньги на ремонт. Раз его послал, два... Но вонь поднялась неимоверная. И тут в лифте столкнулся он с Валюшей. Они, конечно, знали друг друга, здоровались, но сейчас отношения стали соответствовать поведению Сергея Ивановича. Идут навстречу по двору, и как бы случайно их ветром разворачивает в разные стороны.

Еще при маме... Значит, лет десять тому. Говорила ему мама:

— Девушка внизу пропадает ни за грош. И собой ничего, и, судя по виду, порядочная, а никто замуж не берет.

— Так она же старая дева, — отвечал он. — Сейчас такой доступный молодняк...

— Мишаня, не говори при мне эти пошлости. Гуляют со всякими, а в жизнь с собой берут не гулящих. Ты это запомни на будущее.

Будущее было вот оно. Уже под носом. Старая девушка так и оставалась одна с двумя идиотами-родителями. И тут его озарило. Просто как огнем в глаза. А что, если... Что, если ему жениться на ней? Проблема ремонта потолка стухнет сама собой. Она переедет к нему, естественно, но в силу близости родителей будет проводить много времени у них. Опять же готовка будет за ней, за хрусталем он последит сам. А главное — она работает юристом. Не знает он такого, чтоб юрист плохо зарабатывал. Родители ее будут благодарны ему, а когда они уйдут в мир иной, то квартира останется дочери, и они ее будут сдавать. И тогда проблема бедности на пенсии канет сама собой. Михаил Николаевич даже вспотел от нарисованной им картины.

Нужен был естественный случай встречи с соседкой. И он произошел.

Лифт остановился, когда он ехал, и в него вошла она.

— Здравствуйте, — сказал он радостно. — Давайте не будем с вами ссориться из-за этой проклятой протечки. Ей-богу, я не ковырял трубу.

И она засмеялась.

— Папа бывает такой упрямый. А потолок уже подсох. Конечно, нужна побелка, но нервов это не стоит.

Они вышли из подъезда вместе, было солнечно, желтая красавица осень как-то очень способствовала какой-то неожиданной нежности, и они шли медленно, медленно, оба не хотели, чтобы метро их разделило.

Так все и пошло. Тихой, тихой сапой Михаил Николаевич шел к заветной цели.

А Валюша сказала отцу, что не разрешает ему больше кляузничать и приставать к соседу с требованием денег: она сама побелит потолок, если не найдется для этого человек.

— Она сама! — закричал Сергей Иванович. — Да ты хоть знаешь, как кисть в руках держать?

Тут вступилась мать и сказала, что она знает, покажет, но надо прекратить эту гражданскую войну, от людей стыдно.

...Так они и поженились, по-тихому. Валюша ахнула, увидев сверкающий хрусталь, а Михаил Николаевич ахнул, когда перед ним поставили холодец. «Боже! — сказал он. — Как же я его люблю!» Только Сергей Иванович был надут, но когда Валюша унесла из комнаты свои вещи и он переселился в детскую, на душе как-то стало светло и прекрасно, тем более, что потолок с подтеками достался жене.

Все-таки что ни говори, но даже у самых плохих историй случаются хорошие концы. Вот и порадуемся им.

Человек в футляре

Я положил к твоей постели
Полузавядшие цветы,
И с лепестками... ...
Мои усталые мечты.

И пусть в мечтах я всё читаю:
Ты не любил, тебе не жаль,
Зато я лучше понимаю
Твою любимую печаль.

Я нашептал моим левкоям
Об угасающей любви,
И ты к оплаканным покоям
Меня уж больше не зови.

Фаина Абрамовна, директор школы не по судьбе, а по всему своему естеству, долго не принимала странного сидящего под дверью юношу. Дело в том, что Фаина Абрамовна ненавидела всякую непредсказуемость. Будь то нападение Германии в сорок первом или еврейское беспокойство в конце сороковых, смерть Сталина в пятьдесят третьем, а также — что за фокусы? — разделение при Хрущеве обкомов на промышленные и сельские и прочие невероятности ее долгой жизни.

А еще Фаина Абрамовна боялась неожиданных людей. У нее замирало сердце от любого ничтожного «мало ли кто?».

Юноша был ей странен. Он был в черном крупной вязки свитере, подпиравшем ему подбородок так, что тот торчал безусловно нагловато. Джинсы были тоже черные, неглаженые, дудочками, а ступни стояли в огромных черных ботинках на толстой подошве. Обилие черного цвета тревожило, и маленькое «мало ли кто?» выросло в беспокойное «мало ли зачем?». Но более всего ее не то чтобы раздражила, а — как бы это сказать точнее — возмутила до состояния бешенства белокурая кудрявая голова. Ты кто — Есенин? Мальчик-с-пальчик? Ленин-младенец? С чего ты, сопляк, взял, что можно таким жить и приходить к ней? Где-то внутри нее взбухало любимое слово «немотивированность». Оно рождало разные смыслы и ощущение опасности.

— Это к вам! — сказала секретарша Тося, бывшая хорошая ученица, не сумевшая поступить в институт. Она ее взяла без сомнений — за то, что всегда в ней нравилось. Косички не ахти какие вдоль ушей. Огромные, всегда оторопелые глаза, будто в ее видении постоянно жили не то Карлик Нос, не то Гога с Магогой. Фаина Абрамовна представляла себе Гогу-Магогу чудищем облым, озорным, огромным, стозевным и лайяй. И эта распахнутость ужасу в глазах Тоси была ей понятна. Кстати, и сейчас у нее были такие глаза. Это родство неприятия посетителя было таким схожим и понятным, что Фаина Абрамовна даже успокоилась. Значит, не она одна делает стойку на это черное с белым сверху.

— Я позову, — сказала она.

Войдя в кабинет, Фаина Абрамовна выдохнула тревожность, охватившую ее в приемной. Здесь, в кабинете, ей ничто не грозило. Телефон стоял привычно, кресло было устойчиво. Путин со стены смотрел бдительно, но, как ей показалось, настороженно. Он как бы тоже думал: кем он мог быть, этот черно запакованный человек?

Ночью ей был сон. Будто на ее уроке по литературе все стали по-лошадиному ржать — именно так, выставив зубы, те, которые в жизни не видно, коренные. Они ржали над словами «Толстой как зеркало русской революции». И смех был как бы сразу над всеми тремя составляющими фразы: над Лениным, над Толстым и над революцией. И она, директор и учительница, почему-то полезла закрывать форточки, потому как смех из форточки школы — это нонсенс. Школа не место для смеха. Тут закладываются основы знаний и порядка. Закрывая форточки, она во сне очень нервничала: ведь у нее определенно поддернулась юбка, а выше колен у нее были теплые (из старых, советских) рейтузы.

Слава Богу, это сон (первое, что она сказала, проснувшись). Противный, но все-таки только сон. И коренные зубы, и смех, убегающий в форточку, и ее рейтузы. Но все равно было гадостно. И она еще подумала: к чему бы это?

Вот к нему. Этому, сидящему под дверью. Он был стар для ученичества, но молод для отцовства. Он был смешон для учительства и жалок просто по определению. Он ждал ее приема. Зачем? Вопрос даже в устойчивом кресле продолжал нервировать Фаину Абрамовну, ибо она любила знать ответы еще до того, как заданы вопросы. Ей хотелось понять, но в этот раз хотелка не срабатывала. Не выдержав собственного напряжения, она позвонила Тосе: «Пусть войдет».

И он вошел. В стоячем виде он был еще хуже, чем в сидячем. Эдакий черный кокон с белым волосьем. Но в закаменелости его внешнего вида существовала и доминировала внутренняя расхлябанность и даже некое кривлянье, будто из-под толстого черного свитера высовывала морду бабка-ёжка и показывала Фаине Абрамовне язык. А потом вертлявая головенка поворачивалась к стене, к самому портрету, и не прятала при этом наглый язык. Картинка была такая сильная, что Фаина Абрамовна надела очки и вперилась в бумаги, которые принес ей этот омерзительный тип. Еще не читая их, она видом своим гнала от себя чертовщину.

Что она, на своем веку людей не видела? Да ни в какое сравнение сопляк не идет с лилипутом из цирка, который привел в школу своего племянника. Она помнит свое состояние неудобства, неловкости и неумения говорить с человеком, заканчивающимся в районе юбки. Этот же все-таки нормальный по росту. Но что за сволочь строит ей из него рожи?

Бумаги повергли ее в окончательное смятение, а также в оскорбление. Данный свитер был явлен в ее школу учителем истории, ибо был отличником института и вообще со всех сторон был как бы прекрасен. Что, эти сволочи из гороно не могли ей позвонить и спросить, нужен ли ей историк вообще? У нее прекрасная историчка, старая проверенная подруга, тащит всю жизнь две ставки. Но зато как тащит! Земля трещит.

— Вряд ли вас устроят наши полставки, — сказала она, думая о том, что отнять полставки у подруги ей будет ой как не просто. У той трое взрослых сидящих на шее детей, муж-бездельник — четверть ставки черчения в их же школе и престарелые родители на нынешних пенсиях.

Подруга ей говорила:

— Фая! Я понимаю, это сволочизм. Но

лучше бы они уже умерли. Знаешь, сколько стоит теперь мазь от суставов? А они как будто сосут ее. Раз, два — и шагай в аптеку. Просишь дешевенькую, а она, зараза, не помогает, покупаешь то, что дороже, и так далее. Учти, с моим уходом за ними можно жить сто лет. Гера (муж-чертежник) очень нервничает. У него аллергия на их мазь. Он ходит с красным носом, а некоторые идиоты думают, что он закладывает. Это Гера? Ты же его знаешь! Нет, Фая, я помру раньше их всех. А они после меня по одному начнут помирать с голоду.

— Дети что-то зарабатывают?

— Смеешься? Ванька разносит почту — это ему только на курево и на рэп.

— На что? — переспросила Фаина Абрамовна, хотя уже сообразила: это молодежное искусство говорить под барабаны. — Я знаю, что это, — перебила она подругу, которая за эти секунды встала в странную позу и, сделав пальцами «козу», одновременно двигая шеей, стала произносить нелепые слова. — Женя! Господь с тобой! — остановила ее Фаина Абрамовна.

— Со мной? Господь? Господь с тобой, Фая! Ты сама себе хозяйка и дома, и в школе. Сколько тебе одной надо?

Нельзя сказать, что это не порадовало Фаину Абрамовну. Когда-то, когда-то... Лет сорок-пятьдесят тому было некое страдание, но именно некое, без четких определений. Она хотела мужчину, но ровно в той же степени не хотела его. Ее отвращали подробности, которые следуют в отношениях с ним как до, как во время, так и после. И такое счастье, что был и есть в ее жизни Николай Петрович, бесплотный, бесполый человек. Сколько часов с ним проговорено, сколько чаю выпито. И ничего другого.

Эти все мысли были продуманы враз, в ожидании слов от визитера.

— Хорошо, — ответил этот с чертовщиной. — Полставки мне вполне годятся. Я взрослый мужчина, у меня есть полставки в газете.

— Вы пишете в газеты? — не своим голосом спросила Фаина Абрамовна. И это звучало как «вы стриптизер?». Или хуже того — «гей?». На самом деле журналист — это гораздо хуже. У нее в коллективе — и журналист? Соглядатай? Клеветник?

— Именно это неприемлемо, — сказала она. — Если бы у вас было полставки учителя в другой школе...

Слово «именно» было раскрашено побуквенно.

— Будет, — сказал он весело. — В вечерней, в вашем же здании.

Она растерялась. На все ее «нет» следовали убедительные «да» и плюс это: «Фаина Абрамовна! Учитель перспективен. Поэтому рекомендую его в первую очередь вам».

— Приходите завтра, — сказала она. — Мне надо все согласовать. В сущности, место занято, я должна поговорить с человеком, которого буду лишать часов.

— Я знаю, — сказал он. — У вас на двух ставках один учитель. Меня потому к вам и направили.

— Человек-то живой, — сказала Фаина Абрамовна, — у нее семья, дети.

— Я хорошо знаю Евгению Семеновну. Я дружу с ее сыном. Ей тяжело тащить такой груз в школе.

Фаина Абрамовна почувствовала, как чертовка, сидевшая под свитером посетителя, перепрыгнула через стол и нырнула ей за ворот. Оттуда она показывала ей серый язык и слегка щекотала под мышками.

— Хорошо. Я разберусь. До завтра.

Кандидат в учителя встал, сделал ей легкий полупоклон, чертовка слегка куснула Фаину Абрамовну, выскочила из мыска и в секунду догнала и скрылась в посетителе.

Все можно было принять за вздор, но на столе очень конкретно лежали бумаги, а носовой платок, хранящийся в лифчике, торчал наружу. Путин же был бесстрастен, он смотрел па псе холодными, равнодушными глазами, а значит, спасения от него ждать не приходилось.

— Пригласи Николая Петровича, — сказала она секретарше. — По-моему, у него «окно».

Он вошел через три минуты. Согбенный, лысый, с палочкой в руках. При всем этом он был в светлом костюме и белой рубашке с галстуком, и ботинки его сверкали как новенькие.

— Коля! — заговорила она не своим голосом. — Знал бы ты, кто у меня был.

— Я видел, — старым голосом ответил Николай Петрович. — Тебя шокировал его вид? Черное на черном? Не бери в голову. Помнишь, какие дудочки я носил в пятьдесят седьмом? Как ты осуждала меня на комсомольском собрании.

— Как ты можешь сравнивать? Ты был образован и воспитан, а у него...

Она хотела рассказать про чертовку, что показывала серый язычок в ее мыске, но это было бы так нелепо! Это ее нервы, усталость... Сон с лошадиным смехом.

— Слушай, Фая! — сказал вдруг Николай Петрович. — Убери ты этот портрет со своей стены. Просто вспомни. Мы пришли работать в эту школу вместе. Когда?

— В пятьдесят пятом... Нам дали восьмые классы.

— Кто тут висел тогда?

— Я не помню.

— А я помню... Еще Сталин. А вскоре я снимал его по просьбе завхоза, я был самый легкий для стремянки, и относил в чулан, и клал его прямо на других Сталиных. Кто висел после него?

— Хрущев.

— Правильно, девочка. Недолго погвоздался царь кукурузы, пришел бровастый бабник Брежнев, потом тихий, как дохлая рыба, Черненко, непонятный народу Горбачев, потом ураган Ельцин, теперь вот этот. Тебе не приходит в голову, что для нашей с тобой уже старой жизни их то ли не хватает, то ли слишком много?

— Это по Конституции, — твердо сказала Фаина Абрамовна. — Через четыре года.

— Через четыре года здесь будет город-сад, — ответил он ей. — Ты обратила внимание, что ничтожные политики прошлого больше всего любят цифровые сроки? В пятилетку жили? Жили. В семилетку. Ждали коммунизма в восьмидесятом. Нынешние — хитрованы. Они знают, что ничего вообще не сделают. И дай Бог, чтобы и Олимпиады не было. Не снести ее на своих плечах народу. Вот я и предлагаю вешать на стенах в школе то и тех, кто остался в чистой памяти.

— Я тебя не понимаю, — с отчаянием сказала Фаина Абрамовна. — У меня висит президент. Он мне нравится.

— Сколько раз я тебе говорил: повесь Ушинского, Сухомлинского, повесь, наконец, Песталоцци. На крайний случай — Толстого. Дети должны расти на примере бесспорно великих людей, которых не меняют через четыре года. Я, старый дурак, понял это недавно.

— Коля! — абсолютно беспомощно сказала Фаина Абрамовна. — Ты какой-то не такой. Мне казалось... Что мы с тобой единомышленники.

— Когда-нибудь обязательно надо стать таким, как должно. Мы с тобой старые друзья, и я говорю тебе твердо: этого парня в черном бери не глядя. Тебе будет нужен человек, у которого не будет нашей с тобой замшелости, и он возьмет и снимет портрет.

— Это он-то? — закричала она. — Он отвратителен. Он просто нахален.

— Он тебя не боится — вот и вся его лихость.

— А чего меня бояться? Я что, тигра лютая?

— Как и все в нашей несчастной стране, у которых есть хоть маленькая, но власть. Власть у нас — хищник.

— Разве я такая?

— Фая! Я работаю последний год. Я дорабатываю с трудом. Исключительно ради нашей дружбы, атавистической, между прочим. Ты уходить не хочешь. Твое кредо — пусть меня вынесут ногами вперед. Я не хочу этой торжественности. Тихой смерти я прошу у Бога. И чтоб были только те, кому на самом деле будет меня не хватать. Не надо мне казенных слов. Хватит твоих, и чтоб только ты меня поцеловала в мой холодный лоб. Ко мне живому тебя не тянуло.

Последние слова были сказаны тихо, почти со слезой.

Все шло не так. Будто она русская, а он иностранец. А ей ведь нужен был совет, сочувствие, да даже пусть бы просто пожалел. У нее в лифчике бабка-ёжка сидела...

— Бери парня, и не думай лишнего, —

сказал Николай Петрович и заковылял к выходу.

«Ладно, — подумала она, — у меня есть еще вечер и ночь».

Но ночи не было. Весь вечер она думала о том, что говорил Николай Петрович. И ей стало страшно, что он как бы собирался умирать. Она позвонила ему, он был бодр, смотрел свой любимый сериал «Дживс и Вустер».

— Не беспокойся, подруга, — сказал он. — Мы с тобой еще не раз поменяем портреты.

«Дались ему эти портреты, — думала она. — Конечно, лучше было бы, чтобы страной управлял учитель, а не чиновник. Но учителя такие замордованные и такие нищие. Их сразу скинут богатые и смелые.

Она легла спать почти спокойной. Она подпишет приказ. Она отнимет полставки у подруги. Но за это даст полставки ее мужу за уроки труда в младших классах. Он хорошо выпиливает лобзиком, и у него получаются классные оригами. Она легла на спину, положив на грудь последний роман Сорокина «День опричника». Ее корежило от романа, одновременно что-то затягивало в него, и хоть несколько страниц она прочитывала перед сном.

«Ну, не Сорокина же вешать на стену», — подумала она. И что-то ударило ее в грудь снизу вверх. Нет, это было не в первый раз. Она знает этот удар, знает, как с ним справиться. И она тянется рукой к тумбочке, там у нее таблетки от внезапной смерти, «беталок зок» называются. Но рука почему-то не дотягивается. Делается все длинней, длинней, а тумбочка все уплывает и уплывает. Ей же ни капельки не страшно, ей смешна эта борьба руки и тумбочки, она завтра посмеется над этим. И она хочет поднять тело и подвинуться всем им, но оно какое-то глупое, это тело. И оно от нее не зависит. Она делает усилие хотя бы приподняться, но падает уже навсегда.

Дальше было как у всех. Взламывание дверей, и застывшее с вытянутой рукой тело с неподходящей моменту усмешкой.

Хоронили Фаину Абрамовну из больничного морга. Народу было много, как-никак директор ведущей школы. Учительницы рылись в ее гардеробе, ища достойный наряд. Нашли единственную белую кофточку, все остальное было серым и черным. В другом же отсеке тесно жались яркие, ни разу не надетые платья.

Николай Петрович стоял ближе всех к

гробу, он не говорил речей. Он смотрел на искривленный в странной усмешке рот и думал, что никогда ее так и не поцеловал. Хотя всю жизнь только этого и хотел. Пять раз делал ей предложение.

В двадцать два она сказала, что прежде всего должна состояться как учительница. В тридцать два — как завуч. В сорок — как директор. В сорок с лишним сказала: ей поздно рожать, а у брака другого смысла нет. «Не для секса же люди живут». Он только вздохнул.

Последний раз это было, когда они оба оформляли пенсии.

— Давай теперь поживем для себя, — сказал он ей робко.

— Коля, не валяй дурака. Для себя жить нельзя. Это грех. И не маши рукой, для тебя общественное тоже всегда было выше личного.

— Нет, — ответил он, — никогда. Я алкал личного.

Тогда он и сошелся с соседкой-вдовицей, жившей одиноко, спокойно и исключительно для себя.

Но он опозорился в первый же день.

— Ты всегда был такой слабак? — спросила вдовица.

И не было конца его позору, потому что он стал рассказывать, что всю свою жизнь любил одну женщину, но у них не случилось.

— А почему я должна слушать, как у тебя не получилось с кем-то? Мне надо, чтобы случилось со мной, иначе нету разговора. Мы же не малолетки какие-нибудь.

Полуодетого, она просто вытолкнула его, и он вернулся домой.

Он, старый дурак, сначала хотел лечь на трамвайные рельсы, потом прыгнуть в речку, очень хотелось открыть трансформаторную будку и лечь грудью на все электричество сразу. В конце концов победило здоровое русское начало. Он купил бутылку водки.

Он наблюдал много раз у других и ритуал ее открытия, и наливания, и выдоха, и говорения слов «чтоб не последняя», и того самого — глотнуть залпом и с кряком. У него ни черта не получилось, равно как и с вдовицей. Жесть пробки глубоко расцарапала палец. И в водку попала капля крови. Он не мог себе позволить пить собственную кровь. Пришлось сливать. Слил. Кураж пропал вместе со сливом, и бутылка стояла раскрытая и смотрела на него, как голая соседка два часа тому назад. Он налил себе половину стакана и вместо того, чтобы принять все залпом, стал пить мелкими глоточками. Они сдирали шкуру в горле, они подпалили язык и нёбо, но он все-таки выхлебал русское спасение и вспомнил, что это полагается заесть.

Но никакой «заести» не было. Он ведь уходил из дома с определенной целью. Рассчитывал на поужинать и много чего еще. Он грыз столетний «челночек», запивая его кипяченой водой. Во рту было гнусно, в душе еще пуще, тело стало каким-то вялым и корявым, он не попал задом на табуретку и его снесло к плите. Из-за плиты вылез красавец-таракан и смотрел на него так, как он сам всегда смотрел на тараканов — презрительно брезгливо. И откуда-то из потрохов из него вышли слова: «Плохо мне, брат таракан, плохо». Таракан даже пошевелил усами, будто понимая его, а потом повернулся и ушел.

«Апофигей одиночества», — сказал он себе и заплакал, как мальчик. Потом его вытошнило водкой и «челночком», потом он вытирал за собой все это безобразие, потом лег и уснул. И ему снился таракан. Огромный, с лошадь, красавец представился ему: «Меня зовут Апофеоз, апофигей — это другое».

Вот с этим другим он и проснулся. Оказывается, он не знал слова «апофигей», но одновременно откуда-то и знал.

Так противно ему не было никогда. И явились снова образы конца — рельсы, речка и трансформаторная будка. Но раздался телефонный звонок. И это был звонок счастья — Фаина. Она сказала, что ему срочно при полном параде надо ехать в гороно. Там его ждет грамота как лучшему учителю. Он было начал говорить ей, как ему сегодня тошно, но это возмутило Фаину Абрамовну:

— Вас было тридцать претендентов, но остановились на тебе. Ты должен быть горд этим. Мне тошно от твоих слов. Или ты перестанешь говорить глупости, или я заверну твою грамоту. Интеллигентский хлюпик! — И она бросила трубку.

И случилось то, что случилось. Он надел лучший костюм, он выбрился до скрипа, он десять раз прополоскал горло и вышел уже самим собой. Таково было свойство Фаины — наводить в нем порядок.

«Общественное выше личного» — это закон ее жизни. Получается — и его тоже. Шаг влево, шаг вправо — расстрел. Потому она и была лучшим директором уже тридцать пять лет.

Боже мой! Уже тридцать пять! Как же ей должно быть трудно в это вымученное время сохранять все как было. Был железный порядок и чистота. Громко не смеялись, не курили в уборных. Но все-таки что-то сильно взбухало: дети приходили другие. Они не считали нужным скрывать безумие своих чувств, как тот мальчишка, который спросил ее: «Фаина Абрамовна, вы еще при царе родились? Компьютеров тогда не было? И самолетов тоже? А что было?»

— Не говори глупости, Колосов, — сказала она. — Я родилась уже при советской власти. И кино, и радио, и самолеты — все было. Знаешь такого летчика-героя Чкалова?

— Нет, — ответил Колосов. — Понятия не имею.

— Ну, Гагарина ты, конечно, знаешь.

— Слышал. Я много кого знаю. Элвиса Пресли. Джекки Чана.

— А Пушкина знаешь?

— Еще бы! Он был негр. И его за это убили на дуэли. Это честная борьба. Глаз в глаз.

— Дурачок, — сказала тогда Фаина Абрамовна, и это было недопустимое в ее лексиконе слово в общении с детьми.

Тогда же Николай Петрович понял, что железная леди, несгибаемый человек в футляре, сдает. Ее побивают мальчишки-первоклашки.

Он бы уже ушел из школы. Одинокому

старику без претензий хватило бы пенсии на прокорм. Но он боялся оставить ее. Он как бы чувствовал: будет момент — и только он окажется рядом. В сущности, это самое важное в его жизни: в критическую минуту быть с ней рядом. И спасти.

Но, увы, его не было в тот момент, когда вытягивалась до бесконечности ее рука, чтобы настигнуть тумбочку. Но пойди поймай бесконечность.

Фаина Абрамовна лежала в гробу опрятно и строго. Ей бы это понравилось. На лице ее была некоторая издевка к тем, кто стоял рядом. Ведь она всегда знала ответы на вопросы, которые мучают всех. Во-первых, во-вторых и в-третьих — встань и иди, как сказал один из любимых писателей Эрве Базен. В нем она находила утешение, путешествуя в народ, живущий по другим правилам.

Николая Петровича пошатывало, и он слегка держался за гроб. Тот был устойчив, и это как-то успокаивало. Всплыло из ниоткуда слово «домовина». Дом. Окончательный и невозвратный. И пришло утешение: ей должно быть хорошо там, где уже нет вопросов, а значит, и нет ответов. Покой. Тишина.

Он повернул голову и увидел того, в черном свитере, которого так испугалась Фая.

Странный, кудрявый, весь такой узкий парень взбудоражил ее, как тот мальчик, который назвал тогда чуждого Элвиса Пресли. Она ведь тогда плакала при нем из-за того, что мир, «извини, Коля, становится чужим».

А это ведь было только начало. Над нею еще беззлобно смеялись: «наш человек в футляре». Не было в этом издевки, было понимание человека, для которого общественное выше личного. Глупо, конечно, но не убивать же ее за это.

Этот пришедший парень, теперь уже его коллега, — из другого мира. И тут он услышал, как тот шепчет молоденькой учительнице литературы, слабенькой такой в теме, что впору ее переводить в младшие классы:

— Хоронить некоторых людей большое удовольствие. Я видел ее живой один раз — мне хватило.

— Как вам не стыдно, — прохихикала учительница. — Такое сказать!

— Мне таких слов не придумать. Это Чехов сказал.

«Сейчас пойду и дам ему в морду», — подумал Николай Петрович. Но подошли люди, отодвинули его и взяли гроб в свои руки. Процесс пошел. Николай Петрович очень хотел заплакать, но слез не было. И вообще не было ничего. Отъезжала домовина — отъезжала жизнь.

Он сел на стул. Он не помнил, сколько сидел. Просто увидел, что на постаменте уже другой гроб и кругом другие люди. Такая живая налаженность в заменяемости покойников вызывала странную оптимистическую мысль: только в присутствии смерти жизнь крепче самой смерти. И он пошел догонять свою покойницу, чтоб ненароком в спешке не похоронить кого-нибудь другого.

Чужая беда

Я положил к твоей постели
Полузавядшие цветы,
И лепестками
Мои усталые мечты.

Я нашептал моим левкоям
Об угасающей любви,
И ты к оплаканным покоям
Меня уж больше не зови.

Ей очень хотелось ехать вместе с мебелью в кузове грузовика. Она видела когда-то в фильме девочку, сидящую с фальшивым подсолнухом среди мебели, и почему-то ей позавидовала. Ехать поверх голов и смотреть гордо на мельтешащий город — это ли не радость! Но родители сказали категорическое нет. «Что за плебейство. Откуда это в тебе?» — сказала мама. А папа совсем уж: «Этот сволочь ген такой малюсенький, а зараза будь здоров. Не знаешь, когда вылезет мордой». Одним словом, она ехала, как все, в машине папиного сотрудника, который был «дока по переездам».

— Пойдешь теперь в другую школу? — спросил он.

— Нет, до конца года папа обещает меня возить в старую, а дальше будет видно.

Она произнесла это резонно, как большая, и загордилась и застыдилась одновременно. Эти два противоположных чувства столкнулись в ней и вызвали смятение. С ней это часто. Как говорит бабушка, «сплошь и рядом». А мама говорит, что такие вещи нельзя пропускать, и если она от обиды будет жалеть обидчика, то это уже случай для психиатра. Вообще мама считает, что она «трудная», хотя в целом хорошая девочка.

Они подъехали к новому дому как-то неожиданно, из переулка. Большой, какой-то треугольный дом был похож одновременно на корабль и на утюг. И она засмеялась внутри себя, решив, что будет звать его утюгом. Домов-кораблей сейчас много, а поди сыщи дом-утюг.

Вещи уже заносили, и она помчалась бегом на пятый этаж, чтоб не занимать лифт. Квартира была не в сказке сказать. Такие она видела только в кино, ни у кого из знакомых такой не было. Папа говорил маме: «Нашему поколению выпало создавать стиль новой жизни. Конечно, всегда лучше делать это на пустом месте, нам же приходится — на обломках. Видела бы ты, каким запущенным был этот гигант. Но мы сделали его!»

Она знала, что их новая квартира состоит из двух старых. «Конечно, копеечка, — повторяла она слова матери, а от себя добавляла: — Но ведь папа у меня не просто большой начальник. Он труженик, каких мало». Так ее учила бабушка.

Она все еще стоит на пороге, задыхаясь от бега по лестнице. Такого холла она не видела. Чтоб из четырех дверей, ведущих она еще не знает куда, на пол падали четыре разных квадрата света. Один совсем солнечный, другой такой сероватый, третий солнечный наполовину, а четвертый просто темный. Она стала перепрыгивать с квадрата на квадрат и вдруг упала. Не ушиблась, нет, но странное было ощущение, будто зацепилась за что-то. В пустом-то холле?

Комнат было пять, две смежные, три отдельные. Они были уже обставлены, так решила мама — все должно быть новое за исключением отдельных предметов, «проникнутых сердцем». Из холла шел коридорчик, он привел ее в кухню, и ей даже пришлось зажмуриться — так все сверкало. И вот когда она зажмурилась, то вдруг услышала плач, тихий такой, как бы подавленный самим плачущим.

«Какая слышимость, — подумала она, открыв глаза. — Плачут где-то сверху».

Она прошла по комнатам, все было готово к жизни, даже шторы в двух комнатах висели. В самой маленькой, бабушкиной комнате было собрано то, что «было проникнуто сердцем». Здесь все лежало вповалку, и было ощущение настоящего переезда.

В ее комнате был ее письменный стол, ее компьютер, полки с ее книгами, только кровать была новая. Совсем уже большая, как для настоящей барышни. Она села на нее. Было хорошо, пружины скрипнули чуть, и тут опять — слезы где-то там... «Ни фига себе, — возмутилась она, — так и буду жить под чей-то плач? Не буду!» И она пошла искать маму, чтоб сказать ей об этом. Она шла по холлу и вдруг снова будто наткнулась на что-то и чуть не упала. «Это новый пол, — подумала она. — Скользит. Надо ходить осторожно».

День получился трудным, досталось и грузчикам, и маминым нервам. Даже бабушка капала себе валокордин. Когда все внесли, бабушка пошла на новую кухню и вела себя странно испуганно, трогая блестящие кастрюли и прочую утварь. Хотя, казалось бы, с чего? И в старой квартире у них все сверкало, и жила уже микроволновка и прочие прибамбасы, а к этой новой кухне бабушка почему-то боится подойти.

И она кинулась помогать той, и снова услышала плач.

— Новый дом, а слышимость старая, — сказала она бабушке.

— Ты о чем? — ответила ей та.

— О плаче! Слышишь плач?

Бабушка остановилась и долго стояла, а потом печально сказала:

— Я уже плохо слышу. Я давно это стала замечать. Я не слышу плача. Старость, детка, не радость. Вот здесь, в кухне, у меня все время что-то мельтешит перед глазами.

— А я тебе хочу сказать, осторожнее ходи в холле. Я уже один раз хорошо упала.

— Да ты что? — испугалась бабушка. — Вот это не дай бог. В моем возрасте шейки бедра ломаются как скорлупа.

— Будь осторожней.

Бабушка вышла в холл и стала пробовать пол ногой. Он не скользил. Тогда она прошла его вдоль и поперек, не отрывая от пола тапку.

— Напугала ты меня. В каком месте ты упала?

Она пошла к тому месту и снова споткнулась, будто что-то ударило ей в колено. Но пол, крест святая икона, был тут явно ни при чем.

Через неделю справляли новоселье. Все хвалили квартиру. Но были и критики. Сейчас модно объединять кухню и столовую в «единое пространство». Почему они так не сделали?

— Тут не было такой возможности, — сказал папа. — Другая планировка.

— Ну и замечательно, — сказала мама. — Мне лично нравится жить по-старому, подальше от кухни. Мы вот в гостиной раздвинули стол — и никаких запахов и стуков из кухни. Правда, доча?

— Правда, — сказала она и снова услышала тихий плач. Ей стало страшно, потому что она поняла, что никто плача не слышит, кроме нее.

— Ты чего так скукожилась? — спросила мама. — Сядь прямо.

Она села прямо. Плача не было. И вообще все было замечательно, все так смеялись, так смеялись...

Ночью она вдруг проснулась. Она ведь уже привыкла к новой «девушкиной» кровати. Но тут ей стало почему-то неудобно. Луна светила в самый угол комнаты, и там оборванно висели обои, и где-то там же что-то скреблось. Она тупо смотрела на обои, в полутемноте, конечно, видно плохо, но эти сникшие обои были серые, а в ее комнате были солнечные, персиковые. Она зажгла бра, и снулые обои исчезли, как исчез и странный скрёб.

«Это сон», — подумала она и повернулась на другой бок. Перед ней была прекрасная новая стена, и лунный свет был так игрив на персике. Она закрыла глаза и уснула.

Когда она увидела в дверях девочку в широкой бумазеевой ночнушке, она поняла — это точно сон. А сон, он ведь идет по своим правилам и не подчиняется мыслям. Он сам по себе. И она сильнее зажмурилась, чтобы яснее увидеть эту девочку. Но та исчезла.

Но осталась какая-то тревога. И она решила пойти попить водички. В коридоре она опять споткнулась, будто задела обо что-то острое, но то, что она увидела в кухне, заставило ее закричать.

В кухне было чадно и дымно. На веревках висело белье, какие-то странные, плохо одетые и неопрятные женщины толклись вокруг плиты и что-то говорили открытыми ртами, но она их не слышала.

Она вскрикнула и кинулась назад. И растянулась на том же месте, где уже ударилась коленкой.

— Чертово одоробло! — сказал кто-то из кухни. — Ты его уберешь когда-нибудь, Нюрка?

Над ней склонилась мама, она включила свет, кухня сверкала, пол в холле был прекрасен своим суперевропейским ремонтом.

— Мне приснился плохой сон, — сказала она маме, — я пошла запить его водой. И упала.

— А что тебе приснилось, доча?

— Будто у меня в комнате отклеились обои. Они были серые и просто висели, как тряпки.

— В каком месте отклеились? — вдруг серьезно спросила мама.

— В углу, над компьютером.

— Это сон, детка, сон. Иди ложись. Я тебе сейчас дам сонную таблетку.

— Ей приснились, — серьезно сказала мама папе, — старые обои этой квартиры. Будто они висели, как тряпки. Ты помнишь? Так ведь и было.

— Она ведь тогда была с нами? Ну, когда мы приходили смотреть старую квартиру. Я не хотел ее брать, а она прицепилась как репей.

— Она не входила с нами в дом, она тогда осталась во дворе. Ты забыл.

— Это ты забыла. Спи!

На воскресенье был назначен субботник (она очень веселилась над таким сочетанием — субботник в воскресенье). Папа нанял гастарбайтеров, он, как во всем, был лидером преобразований вокруг дома. Она вышла вместе с ним поруководить рабочими. Вот и случился у нее повод обойти дом-утюг со всех сторон. Папа очень смеялся над ее названием — утюг, но нашел в нем новый смысл. «Мы тут все выутюжим», — сказал он маме. Когда она обошла дом, то увидела, что с другой, кормовой стороны дома был забор, а за ним стоял барак из черных бревен. На старом месте, где они жили раньше, таких было полно. Этот же, за забором, но рядом с утюгом-великаном, был настолько жалок и стар, что она сразу решила: людей там быть не должно. Она уже видела выселение из бараков, вываленный наружу человеческий скарб, а потом ночью пожар и уже утром — пустое обугленное место. «Санитары леса», — смеялась мама, когда повязали мальчишек-поджигателей.

Этот стоящий за забором барак явно ждал своих санитаров. Но тут отодвинулась доска в заборе, и из дыры вышла девочка в пальто с чужого плеча и с подвернутыми почти до локтей рукавами. Плечи пальто свисали низко-низко, в одном модном журнале она даже видела такой крой, и ей он не понравился.

Значит, в черном бараке люди еще были.

Ей было уже почти пятнадцать, и она помнила коммунальный скарб бараков. И еще ей рассказывала бабушка.

— В коммуналках жили почти все. И в них все зависело от людей. Одни жили дружно, помогая друг другу в трудную минуту, а таких минут, детка, было не счесть. Другие же сварились, подсыпали друг другу в кастрюли гадость. Дрались. Я жила и в такой, и в такой.

И тут, как из бабушкиного прошлого, вышла эта девочка.

— Ты из новоселов? — спросила девочка.

— Я с парадного, — ответила она и засмущалась, ибо не хвалилась, а просто указала географическую точку своей жизни.

— А из какой квартиры?

— Из тридцать второй.

Девочка задумалась, будто что-то считала.

— Значит, из тридцать второй и третьей. Вы же две квартиры захватили?

— Мы не захватили. Мы купили за деньги.

Почему-то ей стало вдруг стыдно, будто она сделала что-то не то.

— Мы жили в тридцать третьей, — сказала девочка. — В коммуналке. А сейчас вот тут, в бараке. Нас тут три семьи осталось. Наша, тети Нюрина и безногого летчика. Героя, между прочим. Но он пьяница. Мышей — полно. А кошки нынче, говорит моя бабуля, балованные, забыли, зачем их бог создал, — не ловят. У вас, конечно, мышей нет. У богатых, это тоже говорит бабуля, нет мышей, нет болезней, но и совести тоже нет.

— Неправда, — сказала она. — Мой папа труженик. Каких еще мало. Но их будет все больше.

— А что он делает?

— У него бизнес.

— А! — сказала девочка. — Он делает деньги из людей и нефти.

— Нет! — топнула она. — У меня очень хороший папа. Вот сейчас он руководит рабочими, чтоб привели в порядок двор.

— Это у него такие? — девочка показала, какие у папы полоски из волос на подбородке.

— Да, он у меня красивый.

— Он тут говорил, что если мы не съедем в Бутово, нас здесь потравят вместе с мышами.

И она услышала, как он это говорит, ее папа. Как слово «потравят» он четко делит на три слога. Он всегда, когда злится, делит слова на слоги. Мама смеется: «Я даже не могу на тебя злиться. У нас в институте был преподаватель. Так он говорил так: маркс-изм. Ленин-изм. И он так ударял на изме, что все просыпались».

— Тебя как зовут? — спросила девочка.

— Дуня, — ответила она. — А тебя?

— Анжела, — ответила девочка.

Большие девочки, они были маленькие, чтобы увидеть весь комизм ситуации: куколка Дуня и вся в обносках Анжела.

— Ты не русская? — спросила Дуня.

— А кто ж еще? Это ты про имя? Мама мне искала имя счастья. Чтоб ни у кого такого и бог меня заметил. Пока что нет...

— Чего нет?

— Бог пока не заметил... Бабуля говорит — мы падаем на дно. Опять барак, а в Бутове опять коммуналка будет.

Дуне хотелось плакать, хотя Анжела была вполне хорошенькая и бодренькая даже в таком виде, а она, Дуня, даже в своем кожаном пальто с песцовой оторочкой, была супротив нее курносой и конопатой.

Из проема в заборе вышли две кошки и прямо на глазах девочек стали бить друг другу морды в буквальном смысле слова. Они были абсолютно одинаковые, рыжие, худые, с безумными зелеными глазами. Сестры, наверное, или мать и дочь.

— Уня! Ты где? — услышала она голос отца. — Сейчас же домой.

— Почему Уня? — спросила Анжела.

— Я маленькая не выговаривала «д». Так и осталось.

— Ты пойдешь в нашу школу?

— Нет, кончу восьмой в старой.

— Значит, не увидимся, — сказала Анжела. — Твой папа нас вытравит, он ведь у тебя слово держит, у них здесь запланирована волейбольная площадка. Из Бутова в школу сюда не наездишься.

— Но зато у вас будет нормальное жилье.

— Две комнаты на четверых? С нами еще и прабабушка. Она Ленина видела, — засмеялась Анжела.

— Да? — удивилась Дуня.

— В гробу! — смеялась Анжела. — Она родилась в день его смерти. Смеется, что они по дороге встретились, он туда, она — сюда. Она смешливая у нас, придумала, что это он ей крикнул: «Верной дорогой идете, товарищи!» — И Анжела смеялась во весь голос.

Дуня не понимала причины смеха. Вот ударение на изме — это хохма. Звучит смешно.

— Ладно, — сказала она. — Я пойду.

— Иди. Привет стенам.

Дуня снова ничего не поняла. Стенам чего? Стенам каким?

Ночью ей снилась Анжела. Она вошла в комнату и стала обдирать повисшие обои.

— Вот тебе! Вот тебе! — говорила она, и снова Дуню охватило чувство вины, и она плакала ночью, слушая мышиный писк, одновременно думая, что маме ничего нельзя рассказывать, на самом деле потащит к психиатру.

Утром, провожая ее в школу, бабушка сказала:

— Ты осторожней, детка, с выбором знакомых. Береженого бог бережет. Тут такой случай, когда кошкам могут отлиться мышкины слезы.

— Они так дрались, кошки во дворе.

— Я тебе не про кошек, Уня.

В холле она снова споткнулась о невидимый Нюркин сундук, но заплакала уже в лифте. Испугалась то ли психиатра, то ли невидимых миру своих слез. Одновременно почему-то — и мышкиных.

Типа послесловие,
Которое **после**, но и **до** одновременно

В ночь с 7 на 8 ноября 2007 года
с автором этой книжки случилось
странное: привиделся не кто-нибудь,
а сам Иван Алексеевич Бунин.
Впрочем, может быть, на сей казус
и не стоило обращать внимания,
если бы не одна история,
происшедшая десяток лет тому назад
и тогда же правдиво мною
изложенная в нижеследующем тексте

«ВАШЕ ВЫСОКОБЛАГОРОДИЕ! БУДУЧИ ПРЕСЛЕДУЕМ...»[1]

Небеса
Райские кущи
Ивану Алексеевичу БУНИНУ

Глубокоуважаемый Иван Алексеевич!

Пользуюсь оказией и через вернейшего человека передаю Вам письмо с родины-отечества. Тут Вас по одному несчастному случаю, можно сказать, задушили в объятиях любви. А то вы нас не знаете? Мы же по части любви до смерти первые на земле (правда, и по ненависти тоже). И я, так сказать, этими объятиями Вас была придавлена до момента полного удушения. Хотя, конечно, лестно невероятно быть придавленной к Вам... ни с чем не сравнимое чувство. Дело в том, — так

---

[1] Название письма позаимствовано из миниатюры Антона Павловича Чехова: «Ваше Высокоблагородие! Будучи преследуем в жизни многочисленными врагами и пострадал за правду, потерял место, а также жена моя больна чревовещанием, а на детях сыпь, потому покорнейше прошу пожаловать мне от щедрот Ваших кельКшос благородному человеку. Василий Спиридонов Сволачев».

пишет «Общая газета», редактор там милейший, обожаемый мной умница, — что «грамотный человек имеет уникальную возможность прочитать еще одну «Митину любовь» — повесть Галины Щербаковой (это я, великодушный Иван Алексеевич! — *Г. Щ.*), под вызывающе бунинским названием» (Господи, прости меня грешную!). «Два мира, два Шапиро — шутили в застойные времена», — скорбно сообщает газета.

Вам с одного раза такое не понять, Иван Алексеевич! Позволю себе пояснение. Ну, это типа: два мира — два детства; у нас — и у них, разведчик — шпион и другие неразъемные понятия. А Шапиро, как ему и полагается, у нас всегда под языком. Вы, Иван Алексеевич, поясню, хороший Шапиро, а я, значит, — нет. Вам нравится быть хорошим Шапиро? Мне-то ничего, я вполне за... и меня, скажу Вам, не «нет» в этом случае беспокоит, а то, что я все-таки дама. Я вообще эти дела по перемене пола не приветствую.

И потом... У меня внуки...

Но продолжаю. «...Неплохо бы витальной любимице «Нового мира» — за последние два года — рекордное количество публикаций, куда там Токаревой (а ее-то, голубушку, за что прижали? Она-то что плохого Вам сделала?.. И мне ничего! — *Г. Щ.*), — одаренной речистой наблюдательностью и способностью наделять безликие слова запахом плоти... в следующий раз появиться с «Войной и миром», можно и с «Идиотом» — хорошее название, между прочим».

Меня как по голове ударили. *Витальность* мою как корова языком слизала. Я с ней и гербалайфом боролась, и антоновские яблоки килограммами ела — и ничего. А тут чувствую — уходит моя *витальность* струйкой дыма, прямо в форточку, в сиянье дня. И так обидно, Иван Алексеевич, столько недоделанного... газета правильно отметила мои притязания. Роман вот хороший писался. «Вишневый сад» называется. Главный герой — Епиходов. Жена у него — Ольга Ларина. Сада, конечно, никакого. Откуда? Если у них пятый этаж геопатогенного дома на 2-й Новоостанкинской? Там вообще живое не живет. Но если подумать, а где ему жить, Епиходову?.. Хотя Антон Павлович может сильно рассердиться. Он ведь так просил меня, так просил, ты, говорит, сделай ему хорошо, ну, чтоб не все время неудачник. А у меня никакого счастья для него не получается. Теперь если и Антон Павлович на меня топнет, то автобиографический триллер «Идиот» мне уже точно не написать. Вся надежда — может, отлежусь?

Вот вчера от вашего гнева была труп трупом, о потустороннем стала думать, как там у Вас отбрасываются тени... Я ведь не просто залезла к Вам в карман, я еще и тень Вашу, оказывается, «потревожила». Так как мне «все до звезды» (мои слова, мои!), то мы, конечно, никогда с Вами не встретимся, я буду в других пределах. Обидно и горько. Я Вас и Антона Павловича всегда любила больше, чем Гомера. Я так на эту тему заплакала, а тут в кухне крышки посыпались. Шум такой специфический. Подумала: всё. Это уже оттуда. Копыта. А на самом деле, слава тебе, Господи, Епиходов пришел и все свалил. Пока я навела порядок, гляжу, *витальность* моя, что улетала струйкой дыма, из той же форточки комковато так ко мне же возвращается. Ну, думаю, «Идиот» не «Идиот», а «Вишневый сад» все-таки закончу. Села я за стол и стала «наделять безликие слова запахом плоти». Только левое плечо что-то у меня все дергается и дергается. Иван Алексеевич! Не поверите, но левое плечо открыло мне суть вещей.

...Было это лет за десять до выхода моей (не Вашей, Иван Алексеевич) «Митиной любви». Тоже была весна. И тоже холодная, потому как допрежь всего видится мне коротенькая беленькая шубка из песца, ну такая е-два — е-два, а не едва — е-четыре... В шубку завернута с виду маловитальная дама, хотя копыточки у нее и тогда были будь здоров. А я, значит, у нее автор. Только что с улицы, ноги промокли, в боку — колотье, в душе мозжит... Шубку такую, как у дамы, я сплю и во сне вижу. И что там говорить, Иван Алексеевич, завидую я этой белой шубке черной завистью. И ведет меня эта дама-шубка в большой такой кабинет и устраивает мне там, простуженной бедной женщине, полный атас. Не песню, а окрик, который одновременно и наказание. Ну, типа: «На ЧТО ты руку подымал?!!» У меня от перепуга руки рухнули ниже колен. Оказывается, я сдуру (от ума такими вещами не занимаются) написала роман «Чистый четверг». Ну, не сообразила я, что тут чистый религиозный подтекст. И я, значит, грубо намекаю: люди, будьте бдительны! Предадут вас друзья же ваши, с которыми вы пиваете и гуляете. Неглубокая такая мысль, но, как говорится, по мере сил.

Дама же моя драгоценная не могла ничего такого, с намеком, в свой журнал допустить. Испугалась я тогда на всю жизнь. И черным цветом заполосовала позорное свое название, а от благодарности за свое спасение чуть копытце не поцеловала. Бок помешал, не дал согнуться, колом в нем ребра встали.

Дальше, Иван Алексеевич, случилось страшное. «Ты, подлое твое авторство, — говорит мне шубка, — хоть что-нибудь соображаешь или «месишь» и «пашешь» не думая? Ты как назвала свою отрицательную героиню?!»

А я ее, Иван Алексеевич, назвала простым русским именем Раиса. Понимаете степень моей дури? Меня всю ужасом пронзило, колотун меня забил. Это ж теперь каждый может из-за меня взять в голову лишнее про РАИСУ МАКСИМОВНУ!

И стала я думать, как мне половчее изменить имя, чтоб не тратиться на машинистку. Зависла я нервами над именем из пяти букв, жду озарения. И вдруг мне на ум — Наина! Я радостно руку свою дрожащую поднимаю, а меня кто-то тырк в спину. Теперь понимаю. Добрейший Александр Сергеевич. Он-то уже знал последовательность исторических имен, хотя до Наины Иосифовны нам еще было идти и идти. Остерег меня Пушкин, кланяйтесь ему там. Я еще немножко поколотилась телом, валидол пососала и стала своей Раисе пририсовывать левое плечико, пририсовывать левое плечико к букве Р. Вот откуда у меня до сих пор Болезнь Плеча. Фаиной моя героиня обернулась. Теперь тоже возник момент опасности. Нанайцы. Это не народ, Иван Алексеевич, чтоб Вы знали. Это на-найцы. Певуны и игруны. У них песня есть про Файну-Фаину́? Им может стать обидно, что она у меня отрицательный герой. Правда, есть надежда: им не до моих скромных сочинений, не прочитают они книжку, и, даст бог, пронесет.

Я тогда много витальности потеряла на нервной почве. Но с тех пор с именами обращаюсь, как с яичками. В смысле осторожно. Но с Вами, Иван Алексеевич, опять дала маху. А ведь все время помнила, что жива, здорова и хорошо выглядит в позе а-ля фуршет драгоценный мой учитель — Н. Б. И. Шубку она себе отрастила и по возможности, и по необходимости. Мы ведь теперь верующие и в Бога и в чистый четверг, а не в черта. На нас теперь любо-дорого смотреть, хотя и не хочется... Но я не про то... Про Н. Б. И., которая хотите верьте, хотите нет, а есть материализованный Гриша Добросклонов нашего времени, который никого не даст в обиду. Она меня, можно сказать, на куски разорвала, когда я мимо Вашей тени рысцою пробегала. Но опять же моя витальность. Напряглись мои куски, склеились и пришли в недоумение. Вас, Иван Алексеевич, она защитила, хотя, видит Бог, мой крещеный Митя никакого отношения к Вашему не имеет. В этом я могу поклясться хоть на Библии, хоть на Коране, хоть на Торе. И даже на Кратком курсе. Другие мы стали, другие; в этом Иван Алексеевич, извините за нахальство и покорно благодарю, и был смысл моего скромного сочинения из букв. А вот Михаила Сергеевича и Надежду Константиновну, которых я непочтительно однажды нарисовала, Н. Б. И. уже не защищала. И действительано, с какой стати? Пенсионер никакого значения и жена Ульянова. На это можно уже не кидаться в упоении защиты. Хотя я считаю иначе.

Или ты Гриша Добросклонов, или ты не Гриша. Третьего не дано.

А вообще-то дай ей бог, Н. Б. И., здоровья и шубку на е-шесть — е-восемь, и *витальности* чуть-чуть для мягкости тела и души. Думаю, она это заслужила.

Кончаю, страшно перечесть!

Если Вы, Иван Алексеевич, великодушно меня простите за все про все, дайте об этом знать. Стукните в окошко или прострелите радикулитом. Я пойму. Дело в том, что антоновские яблоки, которые я ела, были из Чернобыля и очень обострили мне третий глаз. Улавливаете намек? Может опять возникнуть сочинение с нехорошим названием. Антону Павловичу, моему земляку по провинции, низкий поклон. Скажите, что у меня трудности со счастьем Епиходова. Жена его Ольга, в девичестве Ларина, его бросает. Выходит за Нагульнова. Последний же баллотируется в мэры, а глупая женщина льстится на чин.

Скажу в последних строках. Мы, Иван Алексеевич, оказались куда как интереснее, чем Вы думали о нас в восемнадцатом годе. Спорили тут с Аверченко на полста долларов: способны ли мы превзойти любые фантазии?

Мои полста! Способны, Иван Алексеевич, способны!

Остаюсь с глубочайшим к вам почтением. Я вас люблю, любовь еще, быть может, в душе моей угасла не совсем. Целую Ваш коричневый девятитомник, который по книжке доставала по всей Империи Зла.

P.S. Донесение свое Ваша защитница Н. Б. И. написала под рубрикой «Актуальное». Вот это мне в кайф! Значит, я почти как продвижение НАТО на Восток или как союз с Лукашенко. Могла ли я об себе думать такое?

Ну, так вот. Написала я эту слезницу и отнесла в редакцию одного журнала. Там повеселились, посмеялись и сказали, что напечатают. Честно скажу, не ожидала. И вдруг чего-то заколебалась, засомневалась и... забрала свое заявление обратно. И забыла про него.

И вот на тебе, через столько лет — видение ночное. Иду, значит, я по дорожке в каких-то темных аллеях, а навстречу мне Бунин, сам, голубчик, худой такой, раздраженный, и веточкой себя по ноге хлещет (мне бы быть веточкой в его руках, подумала я во сне). И он мне так небрежно, даже не глядя, говорит:

— Привет ваш передан (Чехову, значит, понимаю я).

А я всей своей виноватой мордой как бы вопрошаю: прощена ли я? За Митю? А он не смотрит, уходит от меня в темные аллеи и как-то небрежно так, снисходительно бросает, повернув голову:

— Да вольно вам делать что угодно. Волков бояться... — И помахал веточкой.

...А мне уже вольно было делать вовсе не роман о горемыке Епиходове. За десять-то лет в моей голове родились «Яшкины дети». Ох, сколько он, Яшка, оставил после себя в России разных, разнообразных человеков (и нечеловеков). Всех сразу не охватить...

Вниманию несведущих или позабывших: Яшка — он тоже из «Вишневого сада». Сволочь первостатейная. Холуй, лизоблюд, хапуга и бездельник. А детей наплодил — не сосчитать, и до сих пор идет размножение. Живее всех живых оказался паренек. Да что вы сами не знаете?..

P.S. Долго не могла понять, почему мне было видение аккурат в годовщину великой пролетарской революции. А недавно перечитала биографию А. И. Бунина: он умер в ночь с 7 на 8 ноября 1953 года. Не мог он больше совмещаться с этими цифрами. Теперь у нас назначены другие значительные числа. Но мы-то! Но мы-то в массе своей все те же... Яшкины дети. Конечно, где-то тоньше, где-то толще, где-то умнее, где дурее, но состав крови Яшкин — чтоб ближе, теснее к власти, чтоб хапнуть, а не помочь другому, чтоб старики подохли бы скорей. Уже почти век эта группа крови ломает Россию под себя.

СОДЕРЖАНИЕ

Литературно-художественное издание

Галина Щербакова

ЯШКИНЫ ДЕТИ

Ответственный редактор *Л. Михайлова*
Выпускающий редактор *Ю. Качалкина*
Художественный редактор *А. Сауков*
Технический редактор *О. Куликова*
Компьютерная верстка *Л. Панина*
Корректор *Н. Сикачева*

В оформлении переплета использована иллюстрация *Филиппа Барбышева*

ООО «Издательство «Эксмо»
127299, Москва, ул. Клары Цеткин, д. 18/5. Тел. 411-68-86, 956-39-21.
Home page: **www.eksmo.ru**   E-mail: **info@eksmo.ru**

Подписано в печать 26.08.2008.
Формат 84×108 $^1/_{32}$. Гарнитура «Балтика». Печать офсетная.
Бумага тип. Усл. печ. л. 16,8.
Тираж 40 100 экз. Заказ 4823.

Отпечатано в ОАО «Можайский полиграфический комбинат».
143200, г. Можайск, ул. Мира, 93.

Галина ЩЕРБАКОВА
«ВСПОМНИТЬ НЕЛЬЗЯ ЗАБЫТЬ»

«...Случается, меня приглашают на встречи с читателем. Только я отказываюсь. Потому что разговор опять будет крутиться вокруг одной лишь «Вам и не снилось»... А она никогда не была для меня главной вещью».

От автора бестселлера «Вам и не снилось»!

Читайте лучшие произведения **Галины Щербаковой** в книге «Вспомнить нельзя забыть»: «Дверь в чужую жизнь», «Отчаянная осень», «Дом с витражом» – и, конечно, новую повесть, давшую название всему сборнику.